OPHÉLIE NEIMAN

Y0-BSM-649

LE VIN
pour ceux
qui n'y
connaissent
rien

Illustrations de Guillaume Long

letudiant.fr

À mon papa.

*On ne boit pas. On donne un baiser
et le vin vous rend une caresse.*

Montaigne

SOMMAIRE

Partie II : Je n'y comprends pas grand-chose

Avant-propos

Face à un verre de vin, vous sentez-vous comme une poule qui a trouvé une pompe à vélo ? À la question « qu'aimez-vous comme type de vin ? », avez-vous envie de répondre « un bon vin qui sent le vin » ? Affirmez-vous, sans en être vraiment sûr, savoir faire la différence entre un bourgogne et un bordeaux ? Rassurez-vous, des millions de Français sont dans votre cas. La bonne nouvelle ? Contrairement aux idées reçues, saisir les clés du vin, c'est assez facile. Quant à en maîtriser l'usage pour ouvrir les portes du plaisir, il suffira d'un peu d'expérience. Ça tombe bien, c'est loin d'être l'entraînement le plus désagréable ! Ce petit livre vous donnera les bases pour bavarder avec un vigneron ou un sommelier, les mots pour briller en société, l'assurance d'un roi pour choisir un vin sur une carte. En bref, il vous conférera la classe internationale devant un verre.

Du vocabulaire, des explications simples mais aussi des trucs, des idées de dégustation, un guide d'achat. Pour que vous puissiez dire bientôt et sans rougir : « J'aime ce vin parce qu'il est dense et ses tanins sont fondus. Il m'a surpris par sa longueur très tendue et sa finale épicée. » Si, si, je vous jure, c'est pour très bientôt.

Ophélie Neiman

Partie I

Je ne sais pas quoi dire

Incapable de décrire un vin, d'expliquer ce que vous aimez dans ce domaine ? Vous êtes tout simplement normal. C'est Denis Dubourdieu, professeur d'œnologie à l'université de Bordeaux qui l'affirme. Ne pas trouver les mots pour décrire ce que l'on ressent en matière de goût, d'odeur et de texture est tout à fait naturel. Tout simplement parce que les mots et les sensations ne se forment pas dans les mêmes zones du cerveau. « J'irai jusqu'à dire que certaines sensations sont indicibles, ajoute-t-il. Quand vous êtes bouleversé par une belle musique, vous ne parvenez pas à en expliquer la raison. C'est pareil. C'est pourquoi il est important de ne pas trop intellectualiser la dégustation, qui est plus un exercice sensuel qu'intellectuel. »

Oui, mais voilà, que se passe-t-il quand vient l'envie ou la nécessité d'en parler ? Il faut pouvoir l'assouvir sans complexe. La dégustation commentée est une chose merveilleuse car elle permet, en mettant des mots sur un ressenti, de l'imprimer profondément dans la mémoire, de le stocker pour le comparer lors d'une prochaine expérience. Et finalement d'affiner son jugement au fil du temps. Plus vous vous entraînerez à verbaliser vos sensations, plus cette gymnastique sera facile. Et plus votre perception du vin sera pointue.

Chapitre 1

C'est quoi tout ce vocabulaire ?

Un jargon « surexploité »

Encore faut-il comprendre ce que l'on raconte. Nombre d'amateurs font semblant, répètent des phrases entendues ailleurs. « Il a de la cuisse, ce vin, il est gouleyant ! » Des mots qui sonnent bien mais qui ne signifient pas grand-chose, à moins de savoir exactement où se situe le terme « gouleyant » dans la pyramide de l'équilibre d'un vin. C'est un grand malentendu français. Avant la Seconde Guerre mondiale, il n'y avait pas de vocabulaire spécifique pour décrire le vin, le langage était des plus poétiques. C'est à cette époque que sont nées des expressions comme « avoir de la cuisse ». Le langage des dégustateurs frôlait l'ésotérisme : savez-vous ce qu'est un vin qui a « le chapeau sur l'oreille[1] » ou qui évoque « le petit Jésus en culotte de velours[2] » ?

Dans les années 1950, on devient sérieux et on tente de codifier les mots de la dégustation en choisissant parmi le vocabulaire courant. On distingue un vin charnu d'un vin charpenté. Trente ans plus tard, c'est le mouvement inverse : les amateurs piquent les termes techniques, propres à l'œnologie et à la dégustation professionnelle pour les reprendre à leur compte. Et voilà les Français désorientés, ne sachant plus distinguer l'imagerie populaire des termes techniques, complexés de ne savoir quels termes employer. Un peu comme si, en sortant du cinéma, on s'entendait dire : « j'ai kiffé le film, c'était plein de suspense, il y avait vachement d'action avec l'univers extradiégétique obtenu par la qualité du montage des attractions ». Bizarre, non ? Reprenons les bases.

---

1. Un vin vieux, usé.
2. Un vin suave et délicat.

Dépasser le « c'est bon »

En matière de dégustation, le vocabulaire français est assez pauvre. Nous savons cuisiner et faire des vins formidables, mais nous tournons souvent autour d'une dizaine de mots quand il s'agit de décrire nos sensations. Un comble, quand on sait que l'être humain (bien entraîné) serait capable de distinguer jusqu'à 10 000 odeurs différentes ! Heureusement, depuis quelques années, l'explosion de la cuisine à la télévision et l'engouement qu'elle suscite ont développé les velléités de description. Voir quatre grands chefs se bousculer autour d'un blanc de poulet, qui piquant une fourchette, qui mâchant avec application, qui sauçant, et les entendre commenter avec soin : « C'est croquant, c'est tendre, c'est trop ferme, c'est fade, c'est relevé, c'est puissant… » fait désormais partie de notre quotidien. Et c'est tant mieux, nous avions du retard en la matière. Pour un pays comme la France, dont la gastronomie est inscrite au patrimoine de l'Unesco, ce n'est pas dommage.

En gastronomie comme partout, il est bon de savoir dépasser le « c'est bon ». Enfant, la politesse nous enseigne de remplacer le « c'est dégueulasse » par le sobre « je n'aime pas ». Il y a encore cinquante ans, le « j'aime/j'aime pas » prévalait aux tables des restaurants. Le vin, s'il était populaire et consommé par toutes les couches sociales, restait un accompagnement de repas que l'on ne commentait guère. Seuls quelques cercles restreints acceptaient de payer cher une bouteille exceptionnelle et, pour montrer qu'ils en estimaient la valeur, la commentaient du mieux possible. Si, paradoxalement, les prix des grandes bouteilles ont été multipliés par dix en quatre décennies, l'accès au bon vin s'est démocratisé. Ou plutôt, les bons vins à petit prix se sont généralisés. Et la dégustation est devenue un sport national. Dont il faut connaître les codes.

La dégustation englobe deux notions : d'abord celle de prendre du plaisir à boire un vin. Cette activité peut se passer de mots et elle est assez instinctive. Le meilleur juge de votre palais, c'est vous-même. L'autre volet de la dégustation repose sur la capacité à apprécier les caractéristiques d'un vin. Pour le qualifier objectivement, nous piochons souvent dans le registre professionnel, normalement réservé aux sommeliers et œnologues. Ces derniers ont besoin de décrire le vin, en dehors de leur goût personnel et au-delà d'une simple appréciation. De nombreux spécialistes, comme Emmanuel Peynaud, ont construit des schémas permettant de situer le vin dans son équilibre gustatif, sa persistance aromatique, sa complexité... Les adjectifs doivent être reconnus par tous avec une marge d'interprétation la plus étroite possible. Ainsi, un vin maigre ou décharné n'apparaît à personne semblable à un vin lourd ou épais. S'il est décharné, il n'est pas vif, ni gras, ni austère, ni charpenté, ni souple. Vous le verrez, le commentaire emprunte souvent au vocabulaire usité dans la description des hommes. C'est facile à comprendre.

Créez votre propre langage

Le langage usuel de la dégustation est donc bien pratique en cela qu'il cherche à s'appuyer sur des référents communs à tous. Mais tout le monde n'a pas envie de chausser les pompes d'un professionnel. Les Américains ont beaucoup moins de complexes à adapter leurs références à leur culture. Ainsi, Gary Vaynerchuk, l'un des critiques vins les plus influents aux États-Unis, n'hésite pas à dire qu'il sent, dans tel vin, « les cornflakes ». Dans tel autre, c'est du cola. « Mais plus Pepsi que Coca ! » Dites d'un vin qu'il sent le Coca Cola dans l'Hexagone et l'on risque de vous regarder comme si vous aviez émis une flatulence. Et pourtant, je l'affirme d'expérience, oui, certains vins dégagent des arômes de cola. Nous le verrons, ce que vous sentez dépend beaucoup de votre expérience olfactive. Nombre d'entre nous connaissent moins le parfum de l'aubépine que celui de la chouquette. N'ayez honte de rien en matière de dégustation : vous sentez la chouquette ? Ainsi soit-il !

Plus généralement, la dégustation tend à qualifier un vin dans son ensemble : libre à vous de piocher dans votre univers culturel pour comparer le vin à ce que vous connaissez le mieux. J'ai déjà entendu un amateur, féru de cinéma, dire : « Ce vin me fait davantage penser à une comédie française un peu grasse qu'à un film d'Ingmar Bergman ! » Tout le monde autour de la table a parfaitement compris son point de vue. Le vin a également de nombreux points communs avec la musique : plus ou moins léger et vif, mélodique ou atonal, puissant ou délicat. Personne ne vous jettera la pierre si vous comparez un vin sombre et profond à *La Ronde de nuit* de Rembrandt ou une bouteille foutraque à l'univers de Dali. D'ailleurs Christophe Menozzi, maître sommelier et amoureux du musée du Louvre, confie associer chaque vin à une couleur et un tableau. C'est ainsi qu'il les reconnaît en goûtant des verres à l'aveugle.

C'est en dégustant entre amis que vous construirez votre propre vocabulaire, vos propres références. « Tu te souviens, ce vin que tu comparais à un Rembrandt ? Je trouve que celui-ci s'en rapproche, mais avec une palette plus nuancée. » Voilà une réflexion bien plus constructive qu'un « rhââ, il est gouleyant ». Attention toutefois : au fil des discussions au sein de votre « tribu », vous serez tenté de développer des références très confidentielles. Tant mieux si elles vous servent à mémoriser un vin, à vous le figurer. Mais soyez prudent : en dehors de cette tribu, ces images ne parleront peut-être pas aux autres. C'est pourquoi il est utile de maîtriser aussi le langage plus classique et normalisé de la dégustation.

Chapitre 2

Avant de parler,
il faut goûter

Goûter un vin fait appel à ses cinq sens : la vue, l'ouïe, l'odorat, le goût et le toucher (par la bouche). L'ouïe est souvent laissée de côté. Si elle participe au plaisir, par le *plop* du bouchon, la cascade du versement ou le pétillement des bulles, elle témoigne peu du caractère d'un vin. En revanche, des études ont montré qu'une atmosphère bruyante distrait les dégustateurs et diminue leur sensibilité. Avis aux bavards impénitents !

Regarder (les couleurs du vin)

La vue est le sens le plus sollicité par l'être humain. Excepté pour les personnes malvoyantes ou sévèrement daltoniennes, c'est le sens qui distingue le plus aisément les nuances sur un spectre. Les variations de couleurs et de luminosité sont infinies et permanentes, alors que le spectre olfactif semble n'intervenir qu'à des moments précis de la journée (même si ce n'est pas forcément vrai).

L'apparence d'un verre de vin nous en apprend un peu sur son contenu. Il y a plusieurs détails à observer : la nuance et l'intensité de la couleur, la limpidité et la viscosité. Dans tous les cas, on parle de la robe d'un vin.

La couleur

Elle évolue au fil du temps et témoigne du vieillissement d'un vin. Avec l'âge, un rouge pâlit et un blanc fonce. Un rouge jeune a des reflets bleu violacé, tandis qu'un vieux se pare de teintes brique et perd sa couleur sur les bords. En effet, c'est sur les bords du disque, à la surface du liquide, que les nuances sont les plus visibles.

Les nuances d'un vin blanc

Jeune   Vieux

⟶

vert / gris / paille / or / bronze / ambré

Les nuances d'un vin rosé

Jeune   Vieux

gris / œil-de-perdrix / saumon / cerise / abricot / pelure d'oignon / cuivré

Les nuances d'un vin rouge

Jeune   Vieux

violet / rubis, cerise / grenat, brique rouge / orange, tuile / marron

Attention, chaque vin vieillit à son rythme. Ce n'est pas parce qu'un vin est orangé qu'il a plus de cinq ans. Certains peuvent prendre des nuances de vieillesse ou d'usure très tôt : on parle alors de vieillissement prématuré. D'autres au contraire seront encore grenat au bout de vingt-cinq ans. Ce sont des vins de très longue garde, bien conservés et souvent de grande valeur.

Truc

Pour observer la couleur d'un vin dans des conditions optimales, posez votre verre sur un fond blanc (nappe, feuille de papier) dans une pièce bien éclairée.

L'intensité de la couleur

L'intensité d'une robe est aussi importante que sa nuance. Elle se mesure de la plus faible à la plus forte :

faible / légère / soutenue / foncée / profonde / très sombre

L'intensité d'un vin dépend de plusieurs facteurs. Elle donne une indication sur le cépage utilisé (type de raisin dont est issu le vin), plus ou moins riche en pigments colorants : ainsi, le pinot noir de Bourgogne est plus clair que le cabernet-sauvignon des bordeaux. Les vins du Sud, réalisés à partir de malbec, tannat ou mourvèdre sont eux si sombres qu'ils en paraissent noirs. Un vin méridional est normalement plus sombre qu'un vin septentrional.

Mais cette déduction, quoique souvent fiable, ne fonctionne pas à tous les coups. En effet, le millésime influence directement la couleur du vin. Il arrive qu'un vin rouge soit pâle parce qu'il a beaucoup plu et que les raisins sont gorgés d'eau ou insuffisamment mûrs. À l'inverse, une année chaude et ensoleillée donnera des vins à la robe plus soutenue, voire profonde. Le vigneron joue aussi un rôle : s'il fait pousser trop de grappes de raisins sur un pied de vigne, les baies contiendront moins d'éléments colorants qu'une vigne dont les rendements sont faibles et les baies concentrées.

Truc

Pour observer l'intensité de la robe d'un vin, placez un crayon derrière votre verre et évaluez l'opacité du liquide.

La couleur du rosé

En dépit de certaines idées reçues, la couleur d'un rosé n'a rien à voir avec sa puissance ou son taux d'alcool. Il n'est pas plus « fort en alcool » parce qu'il est plus foncé. Sa tonalité principale dépend surtout de sa région de production et du type de vinification. Ainsi, les rosés de Provence sont généralement plus pâles que ceux de Tavel, dans le sud de la vallée du Rhône. C'est aussi une histoire de mode : après avoir plébiscité des rosés très colorés, les consommateurs se dirigent désormais vers des tons clairs. La couleur d'un rosé est issue d'une opération délicate de la part du vigneron, au début de la vinification. La teinte du vin dépend du temps de macération du jus de raisin avec la peau colorante des baies : plus le jus reste longtemps au contact des peaux, plus le vin est coloré. En France, hormis pour les champagnes, il est interdit de faire un rosé en mélangeant un vin rouge avec un vin blanc !

La limpidité et la brillance

Après avoir observé la couleur, marquez un temps d'arrêt et regardez le verre bien en face : son contenu vous semble-t-il limpide ? Vous pouvez, au choix, le trouver : cristallin, limpide, voilé ou trouble. Il est également possible d'apercevoir des matières en suspension ou des dépôts.

Les dépôts, s'ils ne sont pas jojo, ne sont pas graves et ne doivent pas vous freiner dans votre dégustation. Il peut s'agir, dans les vins blancs, de dépôts tartriques – de petits cristaux blancs ou translucides. Aucune importance, il s'agit simplement de l'acide tartrique qui a cristallisé sous l'effet du froid. On peut aussi en trouver dans les vins rouges, mais le plus souvent, les dépôts bruns ou noirs que l'on observe au fond d'une bouteille sont des précipitations de tanins ou de matières colorantes, qui se créent tout naturellement au cours du vieillissement.

En revanche, un vin, voilé, terne voire trouble est beaucoup plus gênant. Ce type de vin, à peine goûté, est le plus souvent jeté sans passer par la case de la bouche. En effet, jusque

récemment, tous les vins étaient filtrés avant d'être mis en bouteille. Un trouble était donc synonyme de défaut manifeste, car
il signifiait que le vin avait eu un problème. Aujourd'hui… eh
bien aujourd'hui, cela dépend. Beaucoup de consommateurs
classiques ne s'aventureront pas à goûter un vin voilé. Pourtant,
il n'est pas forcément mauvais : de plus en plus de producteurs
bio et de « vins naturels » ne filtrent plus leur vin, pour l'expo-
ser le moins possible à des produits ou des matières extérieures
(nous le verrons, la filtration s'accompagne souvent d'un col-
lage). Leurs vins présentent donc un trouble naturel pas très
glamour, mais sont malgré cela excellents. Même les membres
de jurys de dégustation sont partagés : certains sanctionnent
le manque de limpidité, d'autres le laissent passer, surtout s'il
s'agit d'une sélection de vins bio et à condition, bien sûr, que le
vin soit bon par ailleurs. De plus en plus, les producteurs de vins
qui ne filtrent pas leur vin le précisent sur l'étiquette, en ajoutant
la mention « un léger voile peut apparaître ».

La viscosité

La viscosité d'un vin fait références aux traces que le liquide
laisse sur la paroi du verre. Pour les observer, inclinez le verre,
redressez-le et regardez comment le vin coule le long de la
paroi. S'il dégouline lentement et laisse des grosses traces vis-
queuses, on parle des « larmes » du vin ou de ses « jambes ».
Quand je vous disais que le vocabulaire vinique déborde de
mots qui concernent les hommes ! Bref, un vin qui « pleure »
n'est pas forcément triste. De même, si vous entendez un
dégustateur s'écrier « ce vin a de belles jambes ! », vous saurez
désormais qu'il ne parle pas de ses aptitudes à courir un sprint.

Mais que signifient ces traces ? Il s'agit de la teneur en alcool
et en glycérol ou en sucres du vin. Plus un vin affiche un degré
alcoolique élevé, plus il est épais et laisse des traces. Cette
constatation se vérifie avec tous les liquides : si vous comparez
un verre d'eau minérale et un verre de whisky, vous verrez toutes
les larmes de ce dernier couler lentement tandis que l'eau n'affiche pratiquement aucune trace.

Ainsi, un vin qui n'accroche pas et laisse le verre propre est presque à coup sûr vif et léger, tandis qu'un vin qui pleure sera généralement gras et chargé en alcool.

Attention toutefois : les traces d'un vin peuvent dépendre de la propreté du verre. Souvenez-vous de vos cours de chimie, le savon dissout la graisse. Un verre qui contient des traces de liquide vaisselle n'accrochera pas l'alcool d'un vin. Alors qu'un verre un peu sale et gras favorisera les jambes.

L'effervescence

Des bulles dans le verre ? Crémant, champagne ou blanquette, c'est un vin effervescent. Pour apprécier sa silhouette, on place le verre au niveau des yeux et on regarde le trajet d'une bulle. D'abord comment est-elle, cette bulle : grosse ou petite ? Un champagne ou un crémant de qualité se doit de posséder de fines bulles. Dans l'idéal, elles sont vives et remontent à la surface du verre le long d'une ou de plusieurs colonnes de bulles pour former en surface un cordon. Ce petit matelas de bulles ne doit évidemment pas ressembler à la mousse de votre bain ou au col d'une chope de bière, mais doit rester, comme la bulle, assez fin.

Cela dit, ne soyez pas surpris si votre verre ne bulle pas comme celui du voisin. En effet, la quantité de bulles visible dans un verre dépend… de la propreté du verre ! Incroyable mais vrai, plus un verre est propre, moins il y a de bulles qui s'en échappent. En effet, les bulles se forment grâce aux aspérités microscopiques de la paroi. C'est pourquoi les sommeliers recommandent de sécher ses verres au torchon, afin que de minuscules fibres de coton s'y déposent et accrochent les bulles. Car à l'inverse, dans un verre parfaitement propre, il n'y aura pas de bulles du tout. Ce qui ne signifie pas, bien sûr, que le vin n'est pas effervescent : il suffit de le goûter pour s'en convaincre.

Pour toutes ces raisons, l'évaluation de l'effervescence à l'œil est très aléatoire. On préfère juger la bulle directement dans la bouche : si elle est délicate, petite, grosse, si elle pique, si elle est molle…

Sentir (les familles des arômes)

Ne nous mentons pas, l'observation du vin était la partie la plus facile de la dégustation. Mais elle est loin d'être la plus excitante. La phase olfactive, c'est une autre paire de manches…

L'odorat est un sens chargé d'émotions : une odeur vous rebute, vous écœure, vous plaît, vous attire, vous attise même. Parce que la mémoire olfactive est la plus primitive, la plus ancienne, celle dont l'accès au cerveau est le plus direct, elle est la plus résistante au temps. Une odeur ancrée dans la mémoire ne s'oublie pas, même si vous ne parvenez plus à la nommer. Sentir un vin peut se révéler épouvantablement frustrant ou follement agréable, selon votre humeur et celle du vin. Certes, l'exercice est ardu. Il demande un peu d'entraînement. Avec des résultats payants, qui s'étendent bien au-delà du domaine du vin : reconnaître le parfum d'un voisin de table fait toujours son petit effet, je vous le garantis. Alors laissez voguer vos narines dans le vaste monde !

Comment sentir

Pour sentir un vin, rien ne sert de renifler comme un petit chien. Collez votre truffe sur le verre, inspirez à pleins poumons et tout ce que vous gagnerez, c'est de saturer votre bulbe olfactif. Agressé, il se fermera comme une huître et vous serez momentanément privé d'odorat. Il faut au contraire humer le verre avec douceur. Sentir son contenu en l'approchant progressivement de vos narines, effectuer deux ou trois légères inspirations puis l'éloigner de votre visage. Et recommencer l'opération, une fois, deux fois, trois fois… autant que vous le voulez. Surtout ne vous précipitez pas, vous avez tout votre temps. Pour paraphraser le poète Boileau : vingt fois sur le vin remettez votre nez !

À la première olfaction, posez-vous la question suivante : *Est-ce que ça sent ou non ?* Normalement, un vin prêt à boire offre une intensité aromatique suffisante pour être perçue. Certains vins sont même particulièrement expressifs, tandis que d'autres sont plus en retrait. Si vous ne sentez rien ou presque, soit vous avez le nez bouché, soit le vin est en cause. On dit alors qu'il est fermé. Nous verrons que nous pouvons, grâce au carafage, le pousser à s'ouvrir un peu.

Deuxième question : *Est-ce que cela sent bon ou non ?* Si l'odeur ne vous plaît pas, c'est peut-être que le vin a un défaut. Ou alors que ses arômes ne sont pas à votre goût. C'est une question qu'il faudra vous poser avant d'ouvrir la bouche. Si, au contraire, vous trouvez le nez plaisant, sentez-le une nouvelle fois et commencez à vous interroger : *Qu'est-ce que ça sent ?*

Le plus simple est de procéder par étapes : les odeurs se regroupent en grandes familles et, avant d'identifier l'abricot ou le fenouil, il vaut mieux procéder « par entonnoir » : du plus général au plus pointu. Par exemple, cherchez s'il y a des arômes de fruits. Si vous pensez en percevoir, balayez les différents types de fruits : agrume, fruit rouge, fruit noir, fruit jaune… Parmi les fruits jaunes, la pêche, le brugnon, le coing, l'abricot… et voilà, c'est bien l'abricot !

Pour un début, si vous reconnaissez une odeur, c'est déjà bien. Avec l'expérience, vous chercherez à en reconnaître deux, puis trois, et ainsi de suite. Vous répéterez la même méthode en fouillant dans les autres familles d'odeurs, celle des fleurs, du bois, des épices, des minéraux… Selon votre vécu olfactif et votre carte génétique, vous serez plus sensible à une certaine catégorie d'arômes : si vous aimez les bouquets de fleurs, que vous avez un jardin ou que vous affectionnez les parfums fleuris, vous distinguerez sans doute le parfum de la rose, du jasmin et de la violette assez facilement. Si au contraire vous craquez pour les parfums orientaux et la pâtisserie, vous identifierez sans mal la cannelle, la vanille, le clou de girofle et la réglisse.

Quelques arômes

Voici, pour vous aider, une liste indicative des principaux arômes du vin. Cette liste n'est pas figée. Certains dégustateurs distinguent les fruits blancs des fruits jaunes, d'autres les fruits à pépins des fruits à noyau. Le cacao est au choix une note alimentaire ou une note grillée, on peut distinguer plusieurs tabacs, etc.

Fruits	Agrumes : citron, citron vert, orange, mandarine, pamplemousse
	Fruits rouges : fraise, framboise, groseille, cerise, fraise des bois
	Fruits noirs : mûre, cassis, myrtille, cerise noire, prune, figue
	Fruits exotiques : banane, fruit de la passion, mangue, ananas, litchi, grenade
	Fruits blancs : pomme, poire, pêche blanche, melon
	Fruits jaunes : pêche, brugnon, abricot, mirabelle
	Fruits secs : amande, noisette, noix, noix de cajou, pistache, datte, pruneau
	Fruits confits : pâte de coing, compote, fruits cuits, confiture, écorce d'orange

Fleurs	Rose, jasmin, acacia, œillet, fleur d'oranger, violette, camomille, chèvrefeuille, giroflée, pivoine, iris, lilas, aubépine
	Et par extension : miel, cire d'abeille
Végétaux frais et secs	Herbe fraîche, foin, fougère, menthe, fenouil, citronnelle, poivron, tilleul, verveine, sureau, mélisse, eucalyptus, tabac, lavande, thé
Sous-bois	Terre, humus, feuilles mortes, mousse, truffe, champignons
Bois	Chêne, pin, cèdre, résineux, bois neuf, balsa, noix de coco
Épices et aromates	Poivre, thym, romarin, laurier, anis, garrigue, muscade, cannelle, vanille, clou de girofle, réglisse, anis, coriandre, gingembre
Animaux	Cuir, fourrure, ambre, gibier, jus de viande, musc
Pâtisserie	Crème fraîche, crème pâtissière, lait, beurre frais, yaourt, levure, mie de pain, brioche, biscuit, pâte à tarte, pâte d'amande
Confiserie	Guimauve, bonbon anglais
Empyreumatique (famille des arômes brûlés, grillés, torréfiés)	Pain grillé, café, moka, chocolat, cacao, caramel, praliné, goudron, fumée
Minéraux	Iode, craie, pierre à fusil, silex, pétrole, hydrocarbures

Défauts	Pourri, moisi, soufre, serpillière, remise, écurie, sueur, pomme pourrie, vinaigre, liège, rance, oignon, ail, chou-fleur, géranium, urine de chat

Un vin n'est jamais figé. Au cours de sa vie, sa structure et ses arômes évoluent. Comme nous, le vin va traverser sa prime jeunesse, atteindre sa maturité, son apogée, puis vieillir et s'éteindre enfin. À travers les différents âges, son bouquet va suivre cette courbe, de la fraîcheur à la décomposition.

Pour le comprendre, on peut se calquer sur la ronde des saisons. Un vin jeune aura une allure printanière : les fleurs, les bourgeons, la verdure et les fruits acides dominent le nez. Avec l'arrivée de sa période adulte, c'est l'été qui s'installe : fruits mûrs et gorgés de soleil, arbres odorants, épices et résines. Puis, la chaleur fait place à l'automne : les fruits sèchent, se compotent, les feuilles tombent et recouvrent le sol. C'est l'époque des champignons, le bouquet s'alourdit, se pare de sous-bois et d'odeurs animales : c'est la saison de la chasse. Enfin, l'hiver confit les fruits. Dans un dernier sursaut, le vin offre des arômes de musc, d'ambre, de truffe pour les plus grands. Ou de viande faisandée et de fruits pourris quand le déclin est trop avancé. Enfin, le nez s'éteint, les arômes disparaissent. Il est trop tard pour le boire.

Pourquoi faire tourner son verre ?

Pour libérer les arômes volatils contenus dans le vin ! Ce dernier peut franchement évoluer en étant aéré de la sorte. Vous pouvez essayer de sentir votre verre au repos, le secouer puis le sentir à nouveau. Vous verrez alors comme les arômes s'expriment avec plus de vigueur et comment de nouvelles odeurs surgissent et enrichissent le bouquet. En revanche, on évite de secouer un vieux vin comme un Orangina : ses arômes sont très fragiles – une fois évaporés, il n'en reste plus rien !

Truc...........

- Dans un premier temps, apprenez à faire tourner le vin en faisant osciller votre verre posé sur une table. Quand vous saurez doser ce geste, vous pourrez vous aventurer à le faire tourner en l'air, comme les pros. Mais gare à ce que, emporté par l'élan, vous ne le fassiez déborder en arrosant votre chemise au passage.

Comment apprendre à reconnaître les ARÔMES ?

Pas de secret, il faut s'entraîner. Plus vous dégusterez, plus vous distinguerez les arômes avec facilité, comme on reconnaît la voix d'un ami dans un bar. Il existe néanmoins d'autres types d'exercices pour entraîner son odorat.

Au quotidien, garder son nez aux aguets, à la recherche de stimuli, permet de réveiller ce sens peu sollicité d'habitude. Chez le maraîcher, par exemple, promenez-vous parmi les étals. Il y a des fruits dont l'odeur, très expressive, remontera naturellement jusqu'à vous. Les amateurs de parfums peuvent s'entraîner dans une parfumerie, mais gare à l'overdose : les parfums sont terriblement plus chargés en arômes que les vins et votre nez pourrait se trouver mal. Mais, bien guidé, vous pouvez vous diriger vers des soliflores, ces parfums composés d'une seule fleur : ils vous apprendront à identifier à coup sûr la rose, le jasmin, l'iris, la tubéreuse, la violette…

Comment s'exercer ?

Le plus efficace reste encore de s'entraîner avec des matières premières en compagnie, si possible, de quelqu'un qui partage votre soif de connaissance. Exemple. Achetez une série d'agrumes : citron, citron vert, pamplemousse, mandarine, orange et si vous trouvez, kumquat, bergamote et orange sanguine. Découpez-les en quartier et sentez-les. Goûtez-les. Essayez de mémoriser chaque agrume. Pour ce faire, rien de mieux que de le décrire à haute voix : « ça pique », « c'est une odeur qui semble chaude » « on imagine qu'il va être amer en bouche… » Trouvez un moyen mnémotechnique, cela peut être une couleur, un adjectif.

Puis, bandez-vous les yeux et demandez à un ami de vous tendre les fruits au hasard, un par un. Essayez de les identifier, les uns après les autres. Il faudra parfois s'y reprendre en plusieurs fois, mais certains fruits, comme le pamplemousse, sont très reconnaissables. Cet exercice peut s'appliquer à presque tous les arômes, les fleurs, la pâtisserie, les végétaux, les notes empyreumatiques. Seuls les minéraux sont plus compliqués à sentir. Mais s'ils sont nettoyés, vous ne mourrez pas d'avoir léché une pierre, une coquille d'huître ou une craie ! Cet entraînement ressemble tout à fait aux gammes que fait un musicien pour exercer ses doigts et son oreille. Il est bon d'y recourir dès que le besoin s'en fait sentir.

Pour faciliter la tâche, vous pouvez investir dans des coffrets aromatiques qui reproduisent les odeurs. Les différents coffrets de Jean Lenoir intitulés *Le Nez* sont très chers, mais les fioles sont très fidèles à la réalité et se conservent de nombreuses années.

Goûter (les éléments sapides, la rétro)

Enfin ! Après toutes ces phrases, ces pages et ces triturations intellectuelles pour retrouver la cerise et la prune dans son verre, enfin, il est temps de le porter à ses lèvres. Vous pouvez alors mesurer la saveur de votre vin, évaluer les éléments sapides qui font toute la différence entre un mets savoureux et un autre, insipide.

Quelle quantité de vin mettre en bouche ? C'est à vous de voir ! Il y a ceux qui aiment les petites bouchées et ceux qui préfèrent mettre les bouchées doubles ! Une réponse tiède serait de dire : ni trop, ni trop peu. Si vous n'avez presque rien sur la langue, vous ne percevrez pas grand-chose mais si vous en avez plein la bouche, ce ne sera pas très pratique pour faire circuler de l'air dedans, clé de la dégustation.

Nous voilà au cœur de la dégustation : goûter un vin, le mettre en bouche, ne fait paradoxalement pas seulement appel au goût mais à deux autres sens : l'odorat et le toucher. L'odorat, encore lui ? ! Eh oui, il a un rôle très important dans cette phase. Le palais est, tout compte fait, assez modeste : il ne permet de détecter que quatre goûts : le sucré, le salé, l'acide et l'amer. À ceux-ci s'ajoute un goût découvert en Asie, l'umami (qui signifie délicieux), qui augmente l'intensité des arômes. Il est présent notamment dans le glutamate ou dans des fromages très fermentés. Depuis quelques années, on distingue aussi la perception du piment (qui ne fait pas appel au toucher, puisqu'il ne brûle pas la peau mais chauffe les papilles) et le métallique, que l'on ressent curieusement par les dents.

Les goûts

La perception du sucre s'opère généralement sur le bout de la langue, dès que l'on dépose le liquide. Les gourmands qui ont l'habitude de manger très sucré y sont moins sensibles, car leur cerveau prête moins attention à cette saveur que celui des personnes qui ne sucrent jamais leurs boissons ou leurs fruits.

L'acide et le salé se ressentent plutôt sur les côtés de la langue. L'acidité a tendance à contracter l'arrière de la mâchoire quand elle est trop marquée. Mais quand elle est bien dosée et agréable, elle fait saliver. C'est pourquoi on dit que les vins vifs – plutôt acides – mettent en appétit. Quant à l'amer, c'est au fond de la langue qu'il s'exprime, bien après les autres goûts. C'est un goût qui, d'instinct, n'est pas agréable. Les enfants n'aiment généralement pas les plats amers (endives, asperges, café…).

Rien de plus normal : notre cerveau associe l'amer aux aliments toxiques, héritage de notre passé préhistorique de cueilleurs. Contrairement à la perception du sucré, que les nouveau-nés aiment d'emblée, celle de cette saveur nécessite un certain entraînement de nos papilles. Une belle amertume peut même donner beaucoup de raffinement à un mets.

La rétro-olfaction

Tout ça c'est bien joli mais pourtant, quand on goûte un plat, on ressent bien plus que ces quatre saveurs ! En mangeant un bœuf bourguignon ou un couscous, on sent les légumes, le fumet de la viande, la richesse de la sauce : on dit d'ailleurs que le plat a du goût ! Alors ? Alors le palais n'est qu'une anti-chambre… C'est l'odorat qui entre à nouveau en action, par la voie rétro-nasale. On appelle ce phénomène la rétro-olfaction. Depuis votre palais, les arômes volatiles remontent dans votre nez et stimulent le bulbe olfactif.

Voici deux tests pour vous convaincre : mâchez un bonbon ou un chewing-gum. Fermez la bouche et soufflez fort par le nez : voilà la fraise, la menthe ou l'eucalyptus qui tout à coup s'expriment pleinement. Autre exercice : reprenez un bonbon ou n'importe quel aliment au hasard. Bouchez-vous soigneusement le nez avant de le manger puis mâchez-le bien. Êtes-vous sûr de ce que vous avez dans la bouche ? Arôme cassis ou carotte ? Vous pourrez seulement dire si ce que vous mangez est acide, sucré, salé ou amer. Avalez. Relâchez vos narines. Miracle, l'aliment a disparu, mais son goût se dévoile à vous. Les arômes étaient restés bien à l'abri de votre palais, attendant de pouvoir s'envoler vers votre nez.

**Pourquoi les dégustateurs font-ils
de drôles de bruits avec leur bouche ?**

Justement pour stimuler cette mystérieuse voie rétro-nasale. Ils font entrer de l'air dans la bouche alors qu'ils ont du vin sur la langue, produisant ce curieux bruit de frottement proche du gargarisme. Puis ils soufflent par le nez. Pas très élégant mais diablement efficace. Ainsi, ils stimulent les arômes du vin qui, réchauffés, s'envolent de plus belle vers le nez. Cette rétro-olfaction permet d'amplifier les arômes sentis au départ, ou d'en percevoir d'autres qui ne s'exprimaient pas dans le verre. La rétro-olfaction peut conforter votre impression première vis-à-vis d'un vin ou bien vous surprendre en lui dévoilant un nouveau visage.

Pour aérer le vin dans la bouche, tous les moyens sont bons. Les Français le font délicatement, comme en sifflant, et certains Américains y vont franchement, mâchouillant le vin et l'agitant comme s'ils se rinçaient la bouche avec un produit bucco-dentaire.

Pas de panique : vous utilisez naturellement cette voie rétro-nasale en mangeant et vous avez même l'habitude de la stimuler. Quand vous goûtez une sauce pour en vérifier l'assaisonnement, vous faites claquer votre langue sur votre palais : c'est le même principe !

La sensation tactile

La langue, l'intérieur des joues et le voile du palais sont très sensibles aux sensations tactiles. Les petits enfants le savent bien, eux qui mettent tout en bouche... avant de découvrir des années plus tard les joies du *french kiss*. La langue détermine immédiatement si ce qu'elle touche est rugueux, grattant, doux, collant, lisse, duveteux... À tel point que certains aliments nous rebutent en raison de leur texture. La cervelle d'agneau, ça vous évoque quelque chose ? Le vin délivre lui aussi des sensations tactiles variées. Le dosage des différents éléments qui le composent peut radicalement modifier la perception. Le sucre donne une impression pâteuse, collante, le glycérol graisse la bouche comme un morceau de beurre. L'alcool réchauffe le palais, l'acide réveille et tend les papilles.

Et puis il y a les tanins. Les fameux tanins du vin rouge. Nous verrons plus tard leur rôle protecteur contre le vieillissement du vin et leur fonction antioxydante qui agit aussi sur nos artères. En bouche, les tanins stimulent l'astringence et provoquent une sensation de dessèchement, de disparition de la salive, de rugosité. Plus concrètement, vous avez peut-être expérimenté cette sensation en suçant une feuille d'artichaut, la peau d'une poire d'hiver ou d'une noix fraîche. Selon la quantité et la qualité des tanins dans le vin, la sensation peut varier d'un frottement doux comme un voile de soie à une agression semblable au léchage d'une planche de bois brut.

Équilibre et déséquilibre

Nous sommes arrivés au point d'orgue de notre dégustation : apprécier l'équilibre ou le déséquilibre d'un vin. Si l'équilibre est souvent loué, le charme d'un bon vin peut également résider dans son déséquilibre. Il peut pencher d'un côté ou de l'autre, montrer un visage chaleureux si l'alcool est mis en avant, frais si c'est l'acidité. Des tanins marqués lui donneront de l'étoffe. À l'inverse, s'il est léger, il aura un caractère gouleyant, agréable et facile. Mais attention à ce qu'il ne verse pas trop dans l'un ou l'autre. Si l'alcool domine excessivement les autres sensations, le vin montrera une nature brûlante et peu élégante. Son allure sera agressive si l'acide est seul maître du jeu. Trop sucré, il sera lourd et écœurant et des tanins démesurés le rendront rêche. Et s'il n'a pas assez de tout ? Il sera informe, maigre, sans corps.

On le voit, la richesse de la dégustation permet de distinguer l'immense palette du vin et ses nuances infinies. Finalement, le temps consacré à un verre de vin permet de l'apprécier bien au-delà de sa simple odeur... de vin !

Avaler... ou pas (la longueur, la persistance aromatique)

Hep là ! Quand je vous ai laissé, juste à l'instant, vous aviez encore le vin dans la bouche ! Qu'en avez-vous fait ? Où est-il passé ? Deux solutions possibles : vous l'avez avalé... ou pas. Dans le second cas, vous l'avez forcément recraché. Avec un peu d'adresse (ou de chance), vous n'en avez pas mis partout sur vos vêtements. Sinon... il va falloir apprendre à cracher, la vie est ainsi faite.

Plus sérieusement, faut-il cracher ou avaler lors d'une dégustation ? Tout dépend du cadre. Si vous dégustez un vin entre amis, le recracher ne sera pas très approprié. Vous pouvez vous concentrer sur les premières gorgées et vous laisser porter par ce que le vin vous délivrera tout au long du dîner (et plus tard). En effet, si les cinq premières minutes suffisent généralement pour juger la qualité du vin, c'est l'envie d'y retremper les lèvres, de le goûter encore et encore qui pourra déterminer un véritable coup de cœur. Attention toutefois : c'est deux verres maximum si vous devez conduire !

Il est en revanche indispensable de recracher si vous êtes amené à goûter de nombreux vins. C'est le cas par exemple lors d'une foire aux vins ou d'un salon de vignerons.

Truc

Il faut savoir que l'un des nombreux effets de l'absorption d'alcool est de diminuer la perception sensorielle : un puissant antalgique bien connu des blessés de guerre d'autrefois, mais qui, appliqué à ce cas, vous fera bientôt confondre l'arôme de poire et de vanille, la chaleur de l'alcool et celle de votre pull. Fâcheux, n'est-ce pas ? Et pas très respectueux pour le travail des vignerons.

Alors, pour cracher avec élégance et sans passer pour un loubard, on fait comment ? On s'en remet à la gravité. Ceux qui espèrent atteindre un crachoir situé à la hauteur du nez ou à un mètre de leur bouche sont soit très prétentieux, soit nuls en physique. Le plus simple, c'est de se positionner au-dessus, la bouche inclinée vers le sol, et de laisser faire la pesanteur du liquide, qui coulera naturellement de votre palais vers le crachoir. Ensuite, si vous souhaitez donner un peu d'impulsion pour montrer votre dynamisme dans la dégustation, libre à vous. Mais il sera moins périlleux de le projeter vers le bas que de biais, où vous avez toutes les chances d'atteindre vos chaussures et votre tee-shirt en chemin.

Soyons francs, les novices de la dégustation n'auront pas la même impression du vin s'ils l'avalent ou le crachent. En l'avalant, le vin aura parcouru l'ensemble de la langue et du palais et se livrera bien plus qu'en étant simplement promené en bouche et recraché. En apparence seulement. Car biologiquement, les papilles et l'odorat fonctionnent de la même manière. Mais inconsciemment, on souffle davantage après avoir ingéré, ce qui favorise la rétro-olfaction et met en valeur la persistance aromatique du vin. Il faut donc apprendre, en crachant le vin, à le faire suffisamment rouler en bouche et à exhaler de l'air comme si on l'avait bu.

À quoi servent ces acrobaties puisque le vin n'est plus là ? À en mesurer le souvenir, pardi ! En termes techniques, cela s'appelle la persistance aromatique, ou la longueur du vin. Comme l'être aimé qui, après avoir quitté la pièce, se rappelle à vous en laissant flotter une trace de son parfum (ou sa chaussette oubliée sous le canapé…), le vin laisse une empreinte, une dernière trace sous votre palais. Cette touche finale a son importance, car elle est le dernier témoignage de son passage. Et participe à la qualité. Persistance plaisante, enrobée de fruits, délicatement boisée, ou au contraire teintée d'amertume et de tanins astringents, elle dure plus ou moins longtemps. Cette impression d'avoir encore un peu de vin dans la bouche se mesure en caudalies. Voilà pour le terme qui fait genre. En fait, ce sont tout simplement le nombre de secondes. Un vin dit court dure une à deux caudalies (secondes, donc), un vin qui a une longue persistance en possède huit ou plus. C'est le cas pour les très grands vins, même ceux qui paraîtront fins et pas particulièrement puissants sur le moment.

Chapitre 3

Je raconte
ce que je ressens

Expliquer ce que j'aime dans le vin

Vous avez goûté, vous avez peut-être aimé. Mais ensuite, que dire ? Vous ne vous en tirerez pas avec une révérence façon Jean Dujardin dans *The Artist*. Pour commencer, un « c'est bon », fera l'affaire. Si vous étiez un dégustateur averti, on attendrait de vous un commentaire circonstancié : la robe, sa couleur, sa brillance, son nez, les fruits et le reste, sa bouche, la « rétro », l'acidité, l'équilibre, la finale. Mais si vous étiez un dégustateur averti, vous ne seriez pas en train de lire ce livre, pas vrai ? Pourtant, ces étapes peuvent vous aider. Regardez le verre : la couleur vous séduit ? Dites-le, ça ne fait jamais de mal.

Ensuite, cherchez ce que vous avez aimé. À l'odeur d'abord. À moins que le vin ne soit mort (de vieillesse ou de maltraitance), il exhale toujours des arômes de fruits. Dans un vin rouge, il y a souvent des arômes de fruits rouges ou noirs, qu'ils soient frais ou compotés. Dans un vin blanc, la gamme oscille de la pomme verte au fruit jaune bien mûr. Si vous ne vous sentez pas de vous mouiller à décrire le fruit, pensez à la famille : « J'adore ses arômes de fruits jaunes frais, comme cueillis de l'arbre », c'est plus qu'assez, vous êtes déjà un chef !

Cette démarche peut vous aider à identifier vos goûts. Si vous êtes très sensible aux arômes de fruits, vous pouvez dire que vous aimez les vins fruités. Une lapalissade ? Pas tant que ça. Pour un professionnel, entendre « j'aime les vins fruités » signifie une attirance pour les arômes primaires des vins, c'est-à-dire ceux que les vins développent d'abord, dans leur prime jeunesse. On parle aussi d'arômes « variétaux », qui reflètent la variété du raisin. Un caviste ou un sommelier vous proposera alors un vin jeune, souple, sans arôme boisé mais fidèle à son cépage.

Si ce sont les arômes de brioche, mie de pain, beurre et yaourt qui vous font chavirer, vous aimez les arômes secondaires d'un vin. Ce sont ceux qui se rapportent à la fermentation. Le bonbon anglais, type banane, en fait aussi partie. On retrouve cet arôme dans les vins dits « primeurs », dont la fermentation alcoolique est à peine terminée. On le retrouve aussi dans les jeunes vins blancs de garde (destinés à vieillir) et dans certains champagnes.

Vous craquez pour la vanille, le miel, la noisette, le cacao, le café, le pain d'épice, le bois fumé, le pin, le chêne… ? Toute cette vaste famille appartient aux arômes tertiaires, dits d'élevage. Vous aimez les vins qui ont été élevés dans des fûts de bois et qui ont un peu vécus. Toute cette palette apparaît et s'enrichit avec l'âge du vin. Si en plus vous aimez les odeurs de sous-bois, de mousse de chêne, de champignons, de cuir et de viande de gibier, gare à votre portefeuille, vous aimez les vins évolués, les crus qui attendent depuis longtemps d'être ouverts.

Enfin, il y a les arômes de terroir, de sol, qui sont minéraux, c'est plus rare. Bien sûr, la richesse d'un vin réside dans sa capacité à mêler des arômes de ces différentes familles, dans une palette à la complexité envoûtante, allant de la simplicité des arômes des vins jeunes à la diversité du bouquet des vins de garde.

Et la bouche ? ! Pour vous rafraîchir, demandez un vin avec une belle acidité, qui vous désaltérera mieux qu'un vin alcooleux. Si vous vous sentez d'humeur joyeuse, un vin rond, voire chaleureux, vous accompagnera plus agréablement.

Un conseil : ne restez pas figé sur un goût personnel. D'abord vous passeriez à côté de belles découvertes et le vin deviendrait ennuyeux. Ne vous privez pas non plus d'une trouvaille inattendue, tentez le : « surprenez-moi ». Et puis, votre envie peut changer selon le moment. Il est fort probable qu'au déjeuner et à l'apéro, vous ayez davantage envie d'un vin fruité et léger. Alors que vous pencherez plutôt, au dîner, pour un vin épicé, plus dense et un peu âgé.

Et si je n'aime pas, je dis quoi ?

Voilà un moment bien embarrassant. Que dire quand on n'aime pas le vin ? Avec un peu d'expérience, on décèle facilement le défaut. Un nez qui sent le bouchon : il est bouchonné (si vous ne voyez pas de quoi je parle, mordez dans un bouchon de liège). Un vin qui a pris l'air et sent comme du madère ou pire, du vinaigre : il est oxydé. Un vin qui sent l'écurie ou la cage à hamster : il contient des bretts, ces levures qui troublent le nez du vin. S'il sent le chou, l'oignon ou le placard, c'est paradoxalement moins grave, il est réduit, il faut simplement l'aérer. Ce sont là les principaux défauts du vin. Ceux pour lequel on peut renvoyer une bouteille au restaurant.

Est-il possible de détester un vin qui n'a pas de défaut ? Bien sûr. Un vin jaune, par exemple, volontairement oxydé, avec ses arômes très marqués de noix et de curry, ne plaira pas à tout le monde. De même qu'un vin sucré, un vin rouge très dense ou un vin qui possède un arôme que vous n'aimez pas, comme la rose si caractéristique du gewurztraminer. Dans ce cas-là, excusez-vous platement et expliquez simplement que « désolé(e), ce n'est pas du tout ce à quoi je m'attendais. Il a un arôme (ou un goût) que je n'aime pas en général, en dehors de ce vin-ci. » Au moins c'est clair.

Thierry Desseauve, journaliste et dégustateur pour le Guide des vins *Bettane et Desseauve* me confiait sa technique : « Si je déguste avec un vigneron et que son vin me semble disharmonieux, mal équilibré ou souffrant d'un problème, je le dis simplement. Après tout, je suis là pour donner mon avis sincère. Mais si on me tend un verre dans une foire aux vins, et que je le trouve sans aucun intérêt, je m'exclame "quel vin !", et je m'éclipse en vitesse ! »

Mais nous ne sommes pas Thierry Desseauve. Et parfois, on ne sait pas pourquoi on n'aime pas. Avec la pression, les amis, le sommelier, la timidité naturelle, on n'ose pas penser négativement ce qu'on goûte. On a tous vécu l'embarras, au moins une fois, de devoir donner son opinion sur un vin pas terrible sans savoir quoi dire. Soyez sobre : « Je ne sais ce que c'est, mais quelque chose me dérange dans ce vin. Goûtez-le, qu'en pensez-vous ? » Deux avis valent mieux qu'un. Si votre interlocuteur partage votre doute, vous mettrez la bouteille de côté. S'il s'y connaît mieux que vous et qu'il apprécie son verre, il essaiera sûrement de trouver ce qui vous gêne. Et vous aurez appris quelque chose.

Confier son ignorance (ou la cacher...) à un vigneron

Si vous entrez chez un vigneron, c'est que vous vous intéressez un minimum à *son* vin. Du moins est-il en droit de l'espérer. En tout cas n'y allez pas pour une raison idiote, par exemple chez ce vigneron pourtant très réputé appelé Pinard, pour rigoler un bon coup sur le blaze du type.

Annoncer tout de go que vous êtes une chèvre en matière de vins, c'est possible ? Oui, à condition de vouloir progresser. Car le vigneron est la personne idéale pour vous enseigner les secrets de son vin. Pour cela, un minimum est requis : savoir dans quelle région vous êtes et quel cépage est utilisé pour élaborer le vin de cette région. Ainsi, vous éviterez les gros moments de solitude. Comme cet homme qui s'exclama chez un vigneron de Chinon : « C'est du 100 % cabernet franc ! Ça alors, c'est exceptionnel ! » Alors que c'est le cas de pour ainsi dire tous les chinons rouges.

Connaître le cépage n'est pas une fin en soi. Au contraire. Vous ferez de la peine au vigneron bourguignon en déclarant : « Je viens chez vous car j'adore le pinot noir ! » En effet, tous les bourgognes rouges sont à base de pinot noir, donc pourquoi ne pas aller ailleurs ? Parce que le pinot noir ne suffit pas. Pour marquer 100 points, démarrez plutôt par un : « Je suis désolé, je n'y connais pas grand-chose. Je sais que c'est du pinot noir, mais ça ne me suffit pas, je veux aller plus loin pour comprendre les différences ». Ou un : « je sais que les sols influencent les vins, mais je ne comprends pas comment. Vous, c'est de l'argile ou du calcaire ? » Alors là, vous lui ferez plaisir car il pourra vous montrer en quoi son travail et son terroir façonnent le vin. Il aura même sûrement envie de vous faire déguster des vins issus de différentes parcelles : « Un gevrey-chambertin, oui, mais voyez la différence entre celui de la parcelle des Crais et le premier cru Les Goulots ». Bingo !

Si vous avez l'art de poser les bonnes questions, sans chercher à épater votre interlocuteur, il y a des chances que vous soyez partis pour une longue et passionnante discussion. Le vigneron exerce un métier solitaire, nombre d'entre eux sont ravis de converser avec un amateur qui a soif… de connaissances !

Confier son ignorance (ou la cacher...) à un caviste

Ah, l'angoisse des immenses rangées de bouteilles, sous l'œil soupçonneux du propriétaire des lieux ! Il y a des cavistes qui font frémir. Entre nous, c'est plus facile d'acheter des chaussures, on sait en un coup d'œil si on les aime ou pas. Impossible de se tromper entre un mocassin en cuir verni et une basket. Après, il faudra quand même essayer. Pourtant, ce n'est pas si différent. Normalement, un bon caviste vous posera quelques questions. Vous n'avez rien à craindre, ce n'est pas un test de connaissance. Le but est de vous guider dans votre choix. Pour que vous ne repartiez pas avec des mocassins vernis pour faire du footing, justement.

La question importante est : « Pour quelle occasion ? » Un dîner romantique, un apéro dînatoire branchouille, une soirée tranquille entre amis, voilà qui pourra l'aiguiller. Ne vous bloquez pas sur une région : l'appellation s'imposera d'elle-même dès lors que votre interlocuteur aura saisi le profil du vin convoité. Soyez le plus précis possible. Le caviste ne rêve pas de connaître votre vie, vos goûts musicaux ou le prénom de vos amis, mais apprendre que vous êtes plutôt bio, que vous souhaitez épater votre beau-père ou que vous avez prévu un tajine au citron l'aidera beaucoup. Normalement, il vous expliquera même pourquoi il vous conseille cette bouteille, explications que vous pourrez relayer à votre tour en servant le vin. S'il est peu disert, demandez-lui les arômes dominants, la structure en bouche ou la durée de l'élevage. Il verra qu'il ne faut pas (trop) vous prendre pour une truffe.

Un point à ne surtout pas négliger : le budget. Si le caviste ne vous le demande pas spontanément, donnez-lui une fourchette de prix. Rassurez-vous, on trouve des bons vins à (presque) tous les prix. Si le caviste tente de vous faire croire qu'il n'y a pas de bonne bouteille à moins de dix euros, ricanez bien fort… et fuyez !

Enfin, si vous voulez vous le mettre dans la poche, gardez la bouteille vide, ou retenez-en bien le nom. Et repassez le lendemain ou quelques jours plus tard pour raconter l'accueil qu'a eu son vin, lui indiquer si le choix était bon. Le caviste se souviendra ainsi de vos goûts et pourra affiner ses propositions la prochaine fois. Si le vendeur ne se souvient plus de vous quarante-huit heures après la vente ou s'il s'agit d'un magasin où les vendeurs changent beaucoup, hélas, vous n'aurez pas grand-chose à en tirer.

Commenter le vin au restaurant

Vous savez, ces restaurants où le sommelier vous sert un fond de verre et vous zyeute comme un merlan frit ? Il attend votre assentiment. À vrai dire, il n'en a rien à carrer que vous sentiez la fraise où la goyave dans son verre. Non, quand un sommelier fait goûter le vin avant de le servir, c'est pour que vous vous assuriez que le vin n'a pas de défaut. Point. Vous avez envie de vous rouler par terre tellement c'est bon ? OK, là vous pouvez lui glisser que c'est ce dont vous rêviez. Il devrait vous en remercier d'un sourire entendu. Guère plus : il le sait qu'il est bon, ce vin, c'est lui qui a choisi de le mettre à la carte. Seule occasion où pouvez-vous épancher : vous avez beaucoup discuté avec le sommelier au moment du choix. Vous hésitiez entre plusieurs vins, il vous a conseillé. Il sera alors de bon ton de le féliciter sur son choix ou, au contraire, de lui expliquer que, quand il en parlait, ça sonnait mieux.

Goûter un vin au restaurant demande trente secondes de concentration. Sentez-le : le nez s'exprime franchement, il y a plein d'arômes ? Les chances sont grandes qu'il n'ait pas de défaut. Goûtez-le pour vous en assurer : parfois un vin bouchonné se fait davantage sentir en bouche, grâce à la fameuse « rétro ». Vous ne sentez rien ou ça sent mauvais ? Remarquez-le à voix haute. Si vous ne vous sentez pas capable d'identifier l'odeur du liège ou de la souris morte, dites au sommelier que vous avez « un doute ». Demandez-lui de goûter. Généralement il vous donnera raison et remportera la bouteille. Parfois un très vieux vin peut avoir des arômes surprenants (un vin fortement giboyeux – aux arômes de gibier – n'est pas facile à appréhender). En ce cas, si ses arômes vous gênent, le sommelier pourra vous diriger vers un autre choix.

Peut-on renvoyer une bouteille qui n'a pas de défaut, juste parce qu'elle est dégueulasse ? C'est délicat. Certains restaurateurs mal embouchés refuseront de la reprendre ou vous proposeront une autre bouteille du même cru, ce qui sera inutile. Vous pouvez quand même tenter, en choisissant diplomatiquement vos mots. Si le type est sympa, il vous en proposera une autre. Pensez alors à le remercier pour cet esprit commerçant. Mais méfiez-vous la prochaine fois. Sa carte des vins est peut-être truffée d'horreurs.

Quoi qu'il en soit, concentrez-vous sur ces quelques secondes de dégustation, sous peine de passer un épouvantable repas. Je parle d'expérience. Il arrive parfois qu'un serveur vous serve sans vous faire goûter. Le temps que vous trempiez vos lèvres, vos convives l'ont bu et s'exclament qu'il est délicieux. Quand vient votre tour, vous constatez avec épouvante qu'il est oxydé et sent la pomme pourrie. Trop tard. Vous n'oseriez quand même pas renvoyer la bouteille en faisant passer tous vos amis pour des falots qui confondent la cerise et la pomme pourrie ? ! Seule échappatoire, vos amis n'ont rien dit : prenez la bouteille et rapportez-la directement, avant que quelqu'un ouvre la bouche. L'honneur sera sauf pour tout le monde, vous gagnerez le respect des convives.

Gare aussi à la température du vin dans un restaurant : s'il est servi trop chaud, il paraîtra lourd car l'alcool s'exprime davantage avec la hausse du thermomètre. Trop froid, le vin aura l'air austère car ce sont les tanins et l'acidité qui ressortent. De plus, un fort refroidissement masque les défauts. Si vous le trouvez anormalement chaud ou froid, quel que soit le moment du repas, n'hésitez pas à demander un seau d'eau froide ou au contraire, à le sortir du seau.

Enfin, s'il s'exprime peu ou qu'il sent le cagibi, il est fermé, voire réduit. Il suffit de le carafer pour l'aérer. Dans un restaurant gastronomique, le sommelier a toujours une carafe en cas de besoin, demandez-lui d'aérer le vin. Il ne le prendra jamais mal. Il sera, au contraire, sensible à votre souci de réveiller en douceur le breuvage.

Les bourdes à éviter

Dans le vin, un amateur peut rapidement passer pour une chèvre auprès d'un professionnel. Il suffit d'une phrase maladroite, d'une fanfaronnade déplacée. Voici donc quelques bourdes à éviter si vous voulez être réinvité.

• Rabrouer un sommelier parce que son vin est bouchonné. Un sommelier (ou un caviste) n'est en aucun cas responsable d'un vin bouchonné. Ce problème ne survient pas pendant la conservation des bouteilles, mais lors de la fabrication du bouchon. Ce dernier peut être contaminé par une bactérie très particulière qui communique cette odeur désagréable au vin. Les études sont variables, mais il semblerait que cette bactérie (qu'on appelle TCA, en rapport avec la molécule qu'elle produit) attaque 3 % à 4 % des bouteilles. Une tuile imprévisible, à moins d'acheter une bouteille fermée à vis. À noter : ce n'est pas une bourde de rapporter la bouteille ouverte à votre caviste si elle est bouchonnée. Il se doit de la reprendre.

• Cocotter chez un vigneron. Attention à l'abus de parfum, qui peut incommoder tout le monde pendant une dégustation.

• Fumer dans un chai, au milieu des tonneaux de vin. Vous plaisantez, là ? !

• « Je connais très bien le vin ! Tiens, vous n'avez pas de saint-joseph parmi vos bourgognes ? – Euh, non, pas dans les bourgognes. En revanche, vous en trouverez sur l'étagère des côtes-du-rhône… » Cette anecdote, véridique, m'a été racontée par l'un de mes cavistes préférés. Elle illustre une idée hélas trop répandue : les consommateurs en sauraient plus que leur caviste. Cela arrive, mais c'est heureusement très rare. Chercher à impressionner un caviste ou un vigneron en étalant ses maigres connaissances, c'est la plantade assurée.

• « Je vais prendre un chardonnay ! Mais en rouge ! » Comment vous dire ? Le chardonnay est une variété de raisin blanc, il ne peut en aucun cas produire du vin rouge. Un minimum de connaissances vous évitera en effet ce genre de déconvenue. Mais vous pouvez aussi y parer en posant quelques questions. Certaines appellations ne sont pas très connues, voire confidentielles. On vous pardonnera tout à fait d'ignorer que Cérons se situe dans le Bordelais et concerne des vins blancs sucrés. Il y a même des coins carrément trompeurs. Ainsi, l'appellation saint-bris est la seule de Bourgogne à élaborer ses vins blancs à base de sauvignon.

• « 17 euros ? ! Votre vin est trop cher ! » Là vous cherchez la bagarre, non ? Si un vigneron vous propose son vin à un prix élevé, c'est qu'il a une clientèle qui l'achète. En revanche, vous avez le droit de demander ce qui justifie un tel prix. Le travail dans la vigne ou au chai peut entraîner des coûts élevés ou de faibles rendements qui se répercutent tant sur le prix que sur la qualité. Autrement dit, plus il y a de travail sur un vin, meilleur il est, plus il est cher, c'est normal. La renommée de l'appellation ou la qualité du marketing peuvent aussi expliquer le prix. En ce cas, le vin n'est pas forcément meilleur qu'un vin moins cher. Il a simplement une meilleure image. Comme certains parfums qui valent cher non pas pour leur composition mais pour la beauté du flacon et du mannequin qui joue dans la pub ! Dans ce cas, c'est trop cher pour ce que c'est !

• « Ah, on sent bien le bois dans votre vin ! » Hum, il y a fort à parier que le vigneron fera une drôle de tête en vous entendant. Car vous ne lui faites pas un compliment en disant cela. De jolis arômes boisés peuvent être très agréables dans un vin, mais s'ils dominent les autres arômes, cela signifie que le vigneron a un peu raté sa production. Il est normal que le bois soit plus présent dans un vin très jeune. Avec l'âge, on dit qu'il « mange son bois ». Mais il ne doit jamais dominer les fruits. On dit alors que le vin est « maquillé par l'élevage », c'est-à-dire que le vigneron a compensé une faiblesse aromatique du fruit par un élevage trop agressif. Un beau boisé, oui, un gros boisé, non.

Il existe mille autres maladresses. Récemment, un ami vigneron me racontait avoir entendu cette étrange question : « Vos champagnes non sucrés contiennent-ils un édulcorant chimique à la place ? » Sûrement, vous aussi, vous en sortirez une tellement grosse que vous n'oserez la raconter à vos amis qu'à la toute fin d'une soirée. Ce n'est pas très grave. Vous porterez cette histoire comme une blessure de guerre, la plus belle preuve que vous avez combattu au front.

Pour le reste, il y a peu de comportements rédhibitoires. Certaines décisions semblent choquantes, comme déclarer chercher un vin pour ses fonds de sauce ou ses cocktails. Mais après tout, c'est votre choix et il doit être respecté : il existe des vins pour toutes vos envies. D'autres ne se gênent pas : un sommelier d'un restaurant étoilé me racontait avoir un habitué qui lui demande toujours du Coca avec son pétrus (le plus prestigieux des pomerols) !

Chapitre 4

Je relativise

Je suis « moi »

Bonne nouvelle : nous ne percevons pas les odeurs comme notre voisin. À chacun son nez, en quelque sorte. Des études ont montré que, selon les lois de la génétique, nous n'avions pas tous la même sensibilité aux goûts et aux odeurs. Il y a, de façon innée, des hypersensibles. Mais surtout, les généticiens ont démontré que nous ne sommes pas sensibles aux mêmes odeurs. Un exemple frappant est la violette : le seuil de détection de l'arôme de violette varie très fortement d'un individu à l'autre. Ainsi vous n'êtes peut-être pas très sensible à la violette, mais vous repérez facilement l'odeur de rose.

De plus la culture et le vécu alimentaire modifient considérablement la perception. Ainsi, nombre de Japonais peinent à différencier les arômes de fraise et d'ananas, quand les Européens distinguent mal le yuzu du pamplemousse. De même, un Brésilien gavé d'ananas aura une référence très différente d'un Anglais qui mange de l'ananas en boîte une fois par an !

Ceux qui apprécient les boissons amères comme le thé et le café jugeront différemment l'amertume par rapport à un fan de sodas.

Tous ces petits marqueurs font de nous des dégustateurs bien différents. C'est pourquoi il ne faut jamais paniquer si un professionnel décrit des arômes que vous ne sentez pas. Il vous dit muscade et vous sentez le cumin ? Ce n'est pas grave. Au contraire, n'ayez jamais honte de sentir « autre chose ». Cela signifie que vous ne tombez pas dans le piège puissant de l'effet de suggestion. Combien d'amateurs de vin affirment percevoir le tilleul parce que le sommelier a dit tilleul, ou parce que c'est écrit sur l'étiquette ! Un professeur de dégustation m'a dit un jour : « Je ne contesterai jamais ce que sent un client dans son verre. Quelqu'un qui sent la fraise dans un vin blanc, cela peut m'étonner car c'est inhabituel, mais je ne lui dirai jamais que c'est faux. La perception d'un arôme, c'est tellement une affaire personnelle ! » Rassuré ?

Encore une autre bonne nouvelle : les hypersensibles sont une exception. Pour tous les autres, moins privilégiés par la nature, sachez que la sensibilité, ça se travaille et ça se développe. Notamment grâce à l'expérience. En voilà une bonne excuse pour déboucher une bouteille !

Pas toujours
dans mon assiette

Vous ne sentez rien de rien quand tout le monde s'extasie sur le contenu de son verre ? Vous ne seriez pas enrhumé par hasard ? Souvenez-vous, les perceptions d'odeurs et de flaveurs se font par le nez. Si le nez est « bouché », rien ne passe, vous ne sentez rien ! Rendez les armes et attendez d'aller mieux avant d'en tirer des conclusions dramatiques.

Au-delà du rhume, de la rhinite, de la sinusite et autres joyeusetés, sachez que votre opinion sur un vin peut dépendre de votre humeur ! Tous les dégustateurs professionnels vous le diront, les sautes d'humeur sont néfastes pour le vin. Vous jugerez plus sévèrement un vin en étant mal assis, contrarié, énervé ou pressé qu'en étant ravi et tanné dans une chaise longue. De même, vos papilles seront beaucoup plus en éveil à onze heures du matin, quand la faim pointe, qu'à quinze heures, en pleine digestion. Et plus vous aurez bu, plus votre niveau de perception sera diminué, voire anéanti. Tenez-en compte !

Les sautes d'humeur d'un vin

Le vin, lui aussi, a ses mauvais jours. Voilà un aspect très frustrant pour qui aime goûter des vins. Dans sa bouteille, le liquide vit et évolue. Un vin promis à une longue garde sera agréable à boire dans ses premières années, avec un caractère très juvénile. Puis, pendant une période oscillant entre ses 3 et 5 ans, il va se replier sur lui-même, se fermer, comme un homme entrerait dans un sommeil profond. Il est alors difficile de le réveiller et il affiche une mine grincheuse. C'est une chose difficile à accepter pour un consommateur, mais il faut parfois admettre qu'un vin ne se présente pas bien alors même qu'il a une excellente réputation.

De plus, la pression atmosphérique influence la perception. Un vin dégusté un jour de grand beau temps montrera un visage distinct d'un jour d'orage. *Idem* s'il est dégusté au niveau de la mer ou à 2 000 mètres d'altitude. Il n'y a pas de preuves scientifiques pour le démontrer, mais il s'agit d'une perception communément admise.

Plus étrange encore, le calendrier lunaire utilisé en biodynamie. Certains dégustateurs affirment qu'un vin est bien plus agréable lorsqu'il est bu un jour « fruit » ou « fleur » plutôt qu'un jour « feuille » ou un jour « racine ». Ainsi, de grands vendeurs anglais de vin comme Tesco et Marks & Spencer inviteraient les dégustateurs uniquement les jours « fruits ». Mythe ou réalité ? Peu importe, finalement. À partir du moment où le dégustateur y croit, cela devient réel.

Ça ira mieux demain

Vous connaissez l'adage : « C'est en forgeant que l'on devient forgeron. » Dans ce domaine comme dans bien d'autres, il est tout à fait vrai. Seuls l'expérience et le temps affineront votre palais et affûteront votre mémoire sensorielle.

Les professionnels du vin disent également que la dégustation est l'école de l'humilité. Le lundi vous cernez le bouquet d'un vin et le mardi vous n'y comprenez plus rien. Ces deux constantes montrent que dans la dégustation, rien ne sert de se faire des cheveux ni de se prendre trop au sérieux ! Vous vous tromperez souvent, croyant reconnaître un bordeaux quand il s'agit d'un languedoc, croyant sentir des arômes boisés alors que le vin n'a jamais vu la couleur d'un fût. Quelle importance ? Aucune ! Comme dans un jeu, parfois on gagne, parfois on perd. Sinon, ce serait vraiment ennuyeux !

Partie II

Je n'y comprends pas grand-chose

Peut-on apprécier le vin sans rien y comprendre ? Bien sûr. Michel Chapoutier, grand vigneron de la célèbre maison rhodanienne Chapoutier, le dit avec une poésie bien à lui : « Il n'est pas nécessaire d'être gynécologue pour savoir faire l'amour. » Autrement dit, sentez-vous libre d'aimer un vin même si vous ne savez pas comment il est fait. Autre exemple, imaginez que vous alliez manger des rognons au restaurant : vous n'avez pas besoin de savoir les cuisiner pour les trouver bons.

Néanmoins, le plaisir sera immensément plus grand si vous comprenez un peu ce qui s'est passé dans votre verre avant que le vin ne parvienne à vos lèvres. Reprenons notre exemple de rognons. Si vous ne savez pas distinguer le veau du bœuf ou du porc, ni les abats de l'entrecôte, cette viande vous paraîtra bien étrange, tant par le goût que par la texture. Si vous n'en avez jamais mangé auparavant, vous ne pourrez pas savoir si ceux-là sont meilleurs que d'autres, à moins que quelqu'un d'averti ne vous donne son avis.

À l'inverse, un amateur de rognons qui apprend que ceux de son assiette ont été cuits en cocotte, avec des oignons caramélisés puis flambés au cognac, comprendra mieux le mélange d'odeurs confites et la texture fondante. Vous me suivez ? Pour le vin, c'est pareil ! Il est plus facile de s'émerveiller de la beauté d'un vin quand on est au courant que le millésime qui l'a vu naître était vraiment pourri. On admirera d'autant mieux la fraîcheur en bouche d'un cru qu'on sait qu'il est constitué d'un cépage plus connu pour produire des vins lourds. Et surtout, ce savoir vous permettra d'affiner vos goûts et votre recherche vers la bouteille de vos rêves.

Chapitre 1

En fait, c'est quoi le vin (à part du raisin et de l'alcool) ?

Une boisson obtenue par la fermentation alcoolique du raisin. Voilà la base du vin, du grand cru comme de la piquette. Ils contiennent aussi les mêmes ingrédients : alcool, sucre, acidité, tanin... Alors, d'où vient la différence ?

Les composés du vin

On l'oublie souvent mais le vin, comme l'être humain, est d'abord composé d'eau : entre 80 et 90 % dans chaque bouteille. Le reste, c'est l'alcool et d'autres composants. Le taux d'alcool, exprimé en degrés sur l'étiquette de la bouteille, est au minimum de 8,5 % selon la réglementation européenne. Mais il peut afficher le double. En France, le plus souvent, les bouteilles contiennent entre 11,5 et 15 % d'alcool. Il s'agit principalement d'éthanol ou alcool éthylique. Il est obtenu par les levures, présentes naturellement sur la peau du raisin, qui transforment le sucre du raisin en alcool. C'est le principe de la fermentation alcoolique. Elle est tout à fait naturelle et peut même se produire sur le fruit au pied d'un arbre : certains animaux savent de quoi je parle. Il n'est pas rare de trouver dans un verger à la fin de l'été, un hérisson ivre d'avoir mangé une pomme fermentée.

Si le raisin peut fermenter et se transformer en vin de lui-même, il ne peut pas demeurer ainsi à l'état naturel : laissé à l'air libre, il est rapidement contaminé par une bactérie acétique, qui a tôt fait de transformer l'éthanol... en acide acétique. Autrement appelé : vinaigre. Bref, sans l'intervention de l'homme, le vin n'est qu'un stade transitoire entre le raisin et la sauce vinaigrette de votre salade !

Dans le vin, on trouve aussi :

• Des sucres résiduels : ce sont les sucres que les levures n'ont pas transformés en alcool éthylique. Au-dessous de 2 g/l, l'homme ne le perçoit pas et le vin est qualifié de sec. Le sucre résiduel existe dans les vins à des doses plus ou moins faibles.

C'est pourquoi même un vin rouge « normal » pourra vous laisser une sensation sucrée. Les vins blancs liquoreux contiennent, eux, plus de 45 g/l de sucre. Je ne vais pas vous faire un dessin, vous comprendrez aisément que le liquoreux (et dans une moindre mesure, le moelleux) est beaucoup plus calorique que le vin sec.

• Des acides : il y en a plusieurs : citrique, malique, tartrique, lactique, acétique… Pfiou ! Ces acides proviennent selon les cas de la baie de raisin ou de la fermentation alcoolique. Même si l'acide ne sonne pas très glamour, il est fondamental pour la tenue d'un vin dans le temps, le maintien de sa couleur et son équilibre face à l'alcool. Entre pros, on compare généralement l'acide d'un vin à sa colonne vertébrale.

• Du glycérol : ce composant gras et doux, qui donne du moelleux à un vin, est produit par la fermentation.

• Du gaz carbonique : lui aussi issu de la fermentation. En 1815, Louis Joseph Gay-Lussac pose ainsi l'équation de la fermentation : sucre = > alcool éthylique + gaz carbonique. Il disparaît à l'aération du vin.

• Des composés aromatiques : Gay-Lussac ne le précise pas, mais les arômes, issus des esters, terpènes, etc., se libèrent sous forme de vapeur grâce à cette fermentation. D'ailleurs, si vous croquez un grain de chardonnay ou de syrah, vous serez sans doute déçus de ne pas percevoir la richesse aromatique qui existe dans les vins qu'ils produisent. Car c'est la fermentation alcoolique qui libère ces composés.

• Des tanins : on en a déjà parlé, les tanins donnent une structure au vin et laissent une sensation astringente ou asséchante sur la langue. Les tanins proviennent de la peau du raisin (appelée plus souvent la pellicule), des pépins et, si le vigneron ne les a pas ôtées, des rafles (tige qui relie la baie à la vigne).

• Des agents colorants, contenus dans la pellicule du raisin. N'oubliez pas que presque toujours, le jus et la pulpe du raisin sont incolores. C'est le contact plus ou moins long du jus avec la peau qui teintera le vin. Rare exception : les cépages dits teinturiers, dont le jus est coloré et qui servaient jadis à renforcer la couleur d'un vin pâlot. Si, lors d'un millésime froid et pluvieux, les raisins n'ont pas atteint leur maturité idéale, la pellicule n'est pas très colorée et le vin est plus clair que les autres années. Logique !

• Du soufre. En fait SO_2, dioxyde de soufre. Il est très souvent ajouté pendant la vinification pour protéger le vin de l'oxygène.

Les bons et les mauvais côtés du soufre

Le soufre a plusieurs utilités : pendant la fermentation, il évite une oxydation néfaste et protège des bactéries. Un ajout bien ajusté permet de stopper la fermentation afin de conserver du sucre résiduel (si vous avez bien suivi, les levures mangent le sucre et le transforment en alcool ; le soufre stoppe le travail des levures). Enfin, à la mise en bouteille, le soufre stabilisera le vin en le protégeant d'une oxydation qui le ferait vieillir prématurément.

Mais, en dépit de ces avantages, le soufre fait débat. D'abord parce qu'à forte dose, c'est toxique. Certes, il faut boire plusieurs milliers de bouteilles pour que le SO_2 produise des effets néfastes sur le corps, autant dire que l'alcool vous endommagera plus rapidement. Plus gênant, l'excès de soufre dans le vin peut provoquer des maux de tête très désagréables (toujours cette action de retenir l'oxygène), en particulier chez les plus sensibles.

Enfin, s'il est bien présent, il ne sent pas terrible (ail et œuf pourri).

Pour ces raisons, la plupart des vignerons réduisent progressivement leurs doses. C'est possible avec des raisins soigneusement transportés pendant la vendange, un chai propre et des vins bien protégés de l'oxygène. Les plus téméraires élaborent même, avec plus ou moins de bonheur, des vins sans soufre. Nous en reparlerons un peu plus loin.

Les cépages

Les cépages sont les variétés de ceps choisis pour faire le vin, les types de plants de vignes cultivées. En France, tous les cépages viennent de la même espèce : *vitis vinifera*. Chaque cépage produit des raisins qui diffèrent fortement au niveau de la taille des baies, leur potentiel aromatique, leur date de maturité, leur sol préféré, leur climat favori... Pour le viticulteur, il est fondamental de choisir un cépage adapté à son terroir, faute de quoi le jaja ne sera pas jojo...

Il en existe quelque 10 000 dans le monde, dont 249 sont autorisés en France (eh oui, on ne plante pas ce qui nous passe par la tête et certainement pas où ça nous chante). Pourtant, avec une douzaine d'entre eux, on couvre presque les trois quarts de la production !

Certains vins sont réalisés à partir d'un seul cépage, comme les bourgognes. On dit qu'ils sont monocépages. D'autres sont, à l'inverse, issus d'un assemblage de plusieurs cépages. C'est le cas des bordeaux ou, exemple particulier, des châteauneufs-du-pape. Ces derniers peuvent cumuler jusqu'à treize cépages différents ! Selon les régions et les habitudes, les vignerons vous vanteront les avantages de ces deux courants : les premiers se réjouiront des mille façons de sublimer un même cépage, les autres se targueront de pouvoir façonner un vin sur mesure selon leur goût, l'état de la récolte annuelle et la subtilité de l'assemblage.

Vous croiserez peut-être un jour l'expression : « vin de cépage ». Qu'entend-on par là ? Il s'agit d'un vin qui montre avant tout l'expression du cépage qui le constitue. Autrement dit les arômes d'un cépage et un seul. C'est le cas par exemple quand la carte du bistrot vous propose un verre de « chardonnay » sans autre précision. Comme il n'exprime ni le terroir d'origine, ni l'élevage du vigneron, ce vin n'est pas très complexe ni très original. Reste que quand il est bien fait, il est agréable à boire dans des occasions simples. Parfois, c'est justement le caractère du raisin qui est recherché, comme dans les muscats secs de Corse ou d'Alsace, très aromatiques. Pour les décrire, on utilisera une expression plus qualitative : on parlera du caractère « variétal » d'un vin.

Les principaux cépages blancs

Le chardonnay. C'est le cépage blanc le plus répandu dans le monde. Il faut dire qu'il s'adapte aussi facilement aux climats tempérés que chauds, qu'il peut prendre une complexité aromatique fascinante, autour des fleurs blanches, du citron, mais aussi de la noisette, du beurre et de la brioche. Le tout avec ampleur, s'il vous plaît. Et puis surtout, il produit les plus grands vins blancs secs au monde : la Bourgogne est son royaume. Il est également cultivé dans d'autres régions de France, ainsi qu'au Chili, en Californie, en Australie, en Afrique du Sud et même en Chine !

Le sauvignon. Voilà un cépage aromatique et fringant comme un jeune cheval ! Ses arômes sont souvent placés sous le signe du printemps : bourgeons de cassis, pamplemousse, citron vert, tilleul… Dans certains pays comme en Nouvelle-Zélande, il prend des arômes d'ananas et de fruits de la passion. Il peut être utilisé seul, comme à Sancerre ou à Pouilly-Fumé dans la Loire, ou bien être assemblé, comme dans le Sud-Ouest et le Bordelais, où il complète le sémillon et la muscadelle pour donner les grands vins liquoreux tel le sauternes. Comme le chardonnay, on le retrouve dans de nombreux pays : Nouvelle-Zélande, Espagne, Afrique du Sud, Chili, Californie…

Le chenin. Ce cépage a bien des visages : on l'apprécie avec des bulles, sec, demi-sec, moelleux ou liquoreux. Ses arômes oscillent du coing à la verveine, en passant par l'abricot ou le jasmin. Dans sa version liquoreuse se mêlent du miel et des épices variées. Cépage capable de produire des vins qui se gardent très longtemps, il se suffit à lui-même et se passe le plus souvent d'assemblages. Il est adulé dans la Loire (nombreuses appellations : vouvray, montlouis, savennières, anjou, côteaux-du-layon, bonnezeaux…) et en Afrique du Sud.

Le riesling. Ce grand cépage allemand fait la fierté des vignobles septentrionaux. Il se joue de la rigueur et du froid et produit un vin du même nom qu'un sommelier a un jour qualifié de « tendu comme un string » ! Plus sérieusement, ses arômes jouent moins sur la force que sur la finesse. Ce n'est pas un champion du fruit mais il développe une minéralité rarement concurrencée. Les grands rieslings dévoilent même une note d'hydrocarbure (pétrole) particulièrement recherchée. Ses arômes minéraux se mêlent à des fleurs blanches et des agrumes en retrait. Il s'exprime en vin sec, moelleux ou liquoreux. Dans ce dernier cas, il est récolté en plein automne, on parle de vendanges tardives ou de grains nobles en Alsace. Il peut même être vendangé gelé : c'est le fameux vin de glace allemand. En plus de l'Alsace et de l'Allemagne, le riesling s'épanouit en Autriche, en Italie et dans plusieurs pays du Nouveau Monde.

Mais aussi, en France… Le muscat à petits grains, le gewurztraminer, le pinot gris, le pinot blanc, le sémillon, le viognier, la marsanne, la roussane, le sylvaner, le melon de Bourgogne, l'aligoté, l'ugni blanc, la muscadelle, le mauzac, le savagnin, le rolle ou vermentino, le petit et le gros manseng… Et bien d'autres.

Les principaux cépages rouges

Le pinot noir. L'empereur bourguignon. S'il n'impressionne pas par sa couleur, peu intense, c'est sa complexité et son élégance qui met tout le monde d'accord. Ses arômes expriment parfaitement les petits fruits rouges et parfois des fleurs comme l'iris. Avec le temps, la fraise et la cerise se parent de cuir, en vieillissant elles s'installent dans les sous-bois. Les tanins sont toujours fins et soyeux. Plutôt réservé aux régions septentrionales, le pinot noir se fait aimer en Bourgogne, avec ses côtes-de-nuits et de beaune renommés, en Alsace, en Allemagne mais aussi Suisse, Italie, Afrique du Sud et dans l'Oregon.

Le cabernet sauvignon. Celui-ci est sec et musclé comme un marathonien. À lui les courses de fond, il est né pour durer. Il produit des vins aux arômes de cassis, de mûre, d'épices et de cuir, parfois de menthe (ou de poivron s'il est cueilli avant d'être mûr), très tanniques, qui demandent du temps pour grandir et affichent parfois une mine austère. Mais il déploie des trésors de sagesse quand il est accompagné. Il s'entend avec de nombreux cépages. Mais son grand ami, c'est le merlot. Les deux compères s'acoquinent alors dans les vins que le monde nous envie : les plus grands bordeaux. Pour son succès, le cabernet sauvignon (plante issue d'un croisement entre le cabernet franc et le sauvignon) est répandu dans de nombreux pays viticoles : de la Californie au Liban en passant par l'Italie, la Roumanie, la Chine, l'Australie ou le Chili.

Le merlot. Le bon compagnon, donc. Avec le cabernet sauvignon, il forme un duo digne d'Astérix et Obélix – ou Laurel et Hardy. Le merlot est rond, bon vivant, souvent bonne pâte. Il assouplit le caractère du cabernet sauvignon, apportant bonne humeur quand l'autre lui sert de béquille pour tenir la route. Ses arômes rappellent les fruits noirs, la violette et le pruneau (parfois avec lourdeur si le raisin est cueilli trop mûr). Mais il s'encanaille très bien aussi avec le cabernet franc. Quand le merlot mène la danse dans le duo, cela provoque de magnifiques vins comme sur la rive droite de Bordeaux et les fameux pomerols et saint-émilion. Lui aussi très international, on le retrouve dans tous les pays précités.

La syrah. Piquante et ensorcelante, la syrah se drape d'une robe (de soirée) d'un violet sombre pour sortir. De puissants arômes de poivre, de réglisse, de paprika associés à la douceur de la violette : cette reine de la nuit est un parfum oriental. Elle règne sur le Rhône, où elle est vinifiée seule dans le nord et mariée avec le grenache dans le sud. On l'appelle shiraz en Australie, elle est également cultivée au Chili, en Argentine et en Californie.

Le grenache. Ce courageux révolté nommé Zorro nous vient, vous l'aurez deviné, d'Espagne. Tout le monde l'aime, c'est pourquoi il est désormais le cépage le plus cultivé au monde. Résistant à la chaleur comme à la sécheresse, il ne manque pas de panache quand il s'agit de faire des vins ronds, chaleureux et puissants… au point de se transformer en sergent Garcia, obèse sympathique mais falot si le vigneron le laisse mûrir trop longtemps. À l'inverse, s'il est bien élevé, ce vengeur masqué vous offrira des arômes de café, cacao, myrtille, pruneau et garrigue, et dégainera son épée de longues années durant. Présent dans le Rhône méridional (châteauneuf-du-pape) et le Roussillon, on s'en sert aussi pour faire du vin doux naturel (rasteau pour l'un, banyuls et maury pour l'autre). Et naturellement, il s'éclate en Espagne.

Et aussi en France… Le cabernet-franc, le malbec, le mourvèdre, le carignan, le gamay, le cinsault, le petit verdot, le tannat, la négrette, le poulsard, la mondeuse, le trousseau…

C'est quoi, un bon vin ?

La vraie réponse est simple : un bon vin est un vin que vous trouvez bon. Fin de la discussion. Bon, vous en voulez un peu plus ? Un bon vin est, de préférence, un vin que vous et toutes les personnes à votre table trouveront bon. Ce vin peut s'imposer unanimement, parce que ses caractéristiques sont reconnues comme appréciables par tous les convives de la tablée. Il présente des attraits universellement agréables : jolie robe, fruité expressif souligné par des arômes plus complexes de bois, d'épices, de fleurs ou de cailloux, une sensation ronde et légèrement sucrée qui séduit immédiatement, des tanins fins pour les rouges. Ou alors il présente une personnalité originale, moins charmeuse au premier abord mais qui saura plaire parce que la personne qui propose la bouteille aura réussi à la décrypter, l'expliquer pour faire partager son enthousiasme.

Le professeur d'université en œnologie Denis Dubourdieu donne cette définition du bon vin : « Un bon vin procure presque les mêmes sensations qu'un grand vin ; il est seulement beaucoup moins cher et prestigieux. À l'aveugle, le bon vin n'est pas facile à distinguer du grand. L'amateur, même averti, peut s'y tromper. [...] Les bons vins sont difficiles à produire parce que leurs coûts de production sont les mêmes que ceux des grands et leur prix beaucoup plus bas[1]. » Autrement dit, c'est aussi une bonne affaire, mais ne vous sentez pas obligé de le clamer à vos convives.

C'est quoi, un grand vin ?

Conséquence logique de la précédente définition, un grand vin, en plus d'être bon, jouit d'un prestige qui lui permet de se vendre cher. Un grand vin se révèle dans le temps et doit donc montrer une aptitude exceptionnelle au vieillissement.

Les vins les plus renommés viennent souvent d'appellations classées : un bourgogne grand cru (rouge ou blanc sec), un alsace grand cru, un champagne grand cru, un 2e ou 1er cru classé en Médoc (bordeaux rouge), un 1er cru classé en Sauternes (bordeaux liquoreux), un 1er grand cru classé à Saint-Émilion (bordeaux rouge). C'est l'effet de l'étiquette. On appelle les consommateurs qui ne veulent boire que ce type de vins : des buveurs d'étiquette.

Ce curieux classement rébarbatif suffit-il à distinguer les grands vins ? Bien sûr que non, ce serait trop facile. Et la quête du grand vin tiendrait de la triste croisière. D'abord, dans le classement bordelais, les châteaux évoluent au fil du temps et tous n'ont plus la même réputation. Ainsi un lynch-bages (pauillac), pourtant classé 5e, a le renom et le prix d'un 2e cru classé. Et puis il y a toutes les régions qui n'ont pas de classement mais dont certaines splendides appellations suffisent à cristalliser l'attention : prenez, dans le Rhône, une côte-rôtie, un ermitage ou un châteauneuf.

---

1. Gilles Berdin, *Autour d'une bouteille avec Denis Dubourdieu. L'œnologie dans tous ses états*, Bordeaux, Elytis, 2012.

Enfin, n'oublions pas la patte du vigneron. Certains hommes ont marqué la viticulture des cinquante dernières années par leur personnalité, leur audace et leur travail : Henri Jayer à Vosne-Romanée en Bourgogne (domaine Henri Jayer), Alain Brumont à Madiran dans le Sud-Ouest (château Montus), Didier Dagueneau à Pouilly-Fumé dans la Loire, Éloi Dürrbach en vin de pays des Bouches-du-Rhône (domaine de Trévallon), Jacques Reynaud à Châteauneuf-du-Pape dans le Rhône (château Rayas) et tant d'autres. Malheureusement, n'imaginez pas trouver leurs vins à des prix inférieurs aux plus prestigieux crus classés.

Quel est le prix d'un grand vin ? Ouille… Difficile désormais d'imaginer un yquem, un mouton-rothschild, un château-margaux ou un haut-brion à moins de 400 € la bouteille. Pour les primeurs 2011, juste après la mise en bouteille, un lafite-rothschild se vendait 490 € HT. Et ça peut monter bien plus haut : les saint-émilion Ausone et Cheval Blanc planaient entre 600 et 700 € les 75 cl. Pas assez cher ? Les pomerols Pétrus et Le Pin du même millésime affichent un prix supérieur à 1 000 € la bouteille. Mais ne faites pas cette tête ! Figurez-vous que les prix de 2011 sont inférieurs aux deux millésimes précédents, mettant fin à une hausse des prix démoniaque des grands crus : + 200 % en moyenne en cinq ans. Les exemples font mal à la tête : un primeur de château Cheval Blanc en 2000 se vendait 279 € ; il est désormais commercialisé à plus de 1 000 €. La Bourgogne n'est pas en reste : le célébrissime et rarissime romanée-conti ne s'échange pas à moins de 2 500 €. Hélas, tant qu'il y aura une demande internationale très forte, supérieure à l'offre, de la part de clients très fortunés et de puissants spéculateurs, les prix ne seront pas près de s'effondrer.

Mais que cela ne vous dégoûte pas : il existe bien d'autres grands vins, français et étrangers, à des prix bien plus raisonnables. Surtout, vous réaliserez un jour que les grands vins qui vous ont marqués ne seront pas forcément les plus prestigieux mais sont ceux qui vous ont apporté le plus d'émotion. Et je vous souhaite que cette émotion ne soit pas liée au prix !

Pierre Guigui, rédacteur en chef du *Gault-Millau* vin, propose d'ailleurs une définition plus mesurée. « Un grand vin, c'est d'abord culturel, il n'y a pas d'universalité. Un grand vin est une référence historique et culturelle, qui se situe au-delà de la dégustation. C'est une icône, comme la tour Eiffel, c'est beau parce que c'est communément admis. Mais personnellement, un grand vin est pour moi singulier : il raconte quelque chose au-delà de l'histoire du vignoble et il est différent des autres. Je pense par exemple à Mas Jullien dans le Languedoc. Le vigneron a une approche personnelle du terroir : il cherche à être en harmonie avec son travail, mettre en avant le geste et l'intention avant le résultat. C'est la différence entre une peinture chinoise faite à la main ou imprimée. Finalement, je préfère ce qui est beau et soigné à ce qui est bon. »

Chapitre 2

Comment fait-on le vin ?

Le vin se fait en deux temps : il y a d'abord le travail à la vigne, que l'on nomme viticulture. Puis le travail dans le chai pour transformer le raisin en vin, qu'on appelle vinification. Ah, il reste aussi une troisième mi-temps : le temps que le vin va passer dans la bouteille à vous attendre. C'est l'élevage.

Le travail à la vigne

En hiver la vigne roupille. On appelle ça la dormance. Elle se repose de ses aventures passées. Plus il fait froid, mieux elle se porte (mais pas au-dessous de − 17 °C quand même, sinon la sève pourrait geler dans le pied). Comme la sève ne circule plus, c'est le moment idéal pour tailler la bête. Il ne faut pas être avare du sécateur, la vigne s'épuiserait à alimenter trop de rameaux. Il faut au contraire ne choisir que quelques sarments qui porteront la récolte de l'année à venir. Si la vigne est très fertile, on coupe court, si elle est faible, on laisse les rameaux un peu plus longs. Il existe différentes tailles de vignes : les plus fréquentes sont la taille en Guyot simple ou double (taille très répandue), en gobelet (surtout dans le Sud) ou en cordon de Royat.

L'âge des vignes

Le viticulteur profite aussi de l'hiver pour remplacer les ceps manquants ou trop vieux. Il n'arrache jamais un pied de gaieté de cœur : une vigne vit en moyenne cinquante ans, mais certaines sont centenaires. Plus elle vieillit, moins elle produit mais meilleur est le vin à l'arrivée. Une parcelle de vieilles vignes est donc un bien précieux que le viticulteur couve avec attention. Entre dix et trente ans, la vigne est au top de sa forme pour produire de hauts rendements. Avant trois ans, elle se développe mais ses raisins ne sont pas très intéressants. Finalement, la vigne évolue comme un homme ou une femme : croissance, production sans retenue puis sagesse.

Le printemps démarre avec un émouvant phénomène : la vigne pleure. C'est la sève qui remonte et pointe au bout de la taille. Vient ensuite le débourrement, quand le bourgeon gonfle, s'ouvre et laisse apparaître une jeune pousse. Gare au gel tardif, qui tue instantanément le bourgeon. Les viticulteurs rivalisent d'ingéniosité pour protéger leurs bébés d'un froid trop mordant. Il est temps de labourer entre les rangs pour aérer le sol, favoriser la vie de la terre et permettre à l'eau de mieux y pénétrer. Comme disent les anciens, un bon labour vaut plusieurs pluies.

Quand le printemps est bien là, c'est la floraison, discrète, qui fait son apparition. Elle est suivie en juin de la nouaison : le fruit se forme dans les fleurs fécondées. Voilà qui permet d'avoir une première estimation de la quantité de la vendange à venir. Si la fécondation se passe mal (pas assez de vent, trop de pluie ou de chaleur), si la sève ne va pas correctement vers le fruit (c'est la coulure), ou que les baies ne grossissent pas (millerandage), le viticulteur commence à se faire des cheveux blancs.

Il ne faut pas oublier d'ébourgeonner les pousses non souhaitées et de procéder à un écimage (on coupe le sommet de certains rameaux pour que la vigne ne pousse pas dans tous les sens), et un effeuillage soigneux (on aère le raisin sans le découvrir complètement, en coupant habituellement les feuilles qui masquent les grappes exposées au soleil levant).

C'est l'été et, si tout va bien, le raisin grossit. Jusque-là il était vert, opaque et dur. La véraison va tout changer : la baie modifie enfin sa couleur : jaune pâle pour les cépages blancs et rouge à bleu sombre pour les cépages rouges. Vient la dernière phase qui va durer jusqu'aux vendanges. Une période capitale car le millésime va véritablement pouvoir y imprimer sa marque : la maturation. Au fur et à mesure que le raisin mûrit, il gagne en sucre et perd en acidité. De plus, la peau s'affine. Si le temps se détraque ou fait des caprices, cela aura une influence sur le taux de sucre, le taux d'acidité et la quantité de tanins du raisin, trois facteurs très importants dans la dégustation. Lorsque la maturité semble optimale, ce qui arrive une centaine de jours après la floraison, il est temps de cueillir le raisin : ce sont les vendanges.

La vendange en vert

Dans certains vignobles, au début de l'été et avant la véraison, on effectue une vendange en vert. Si la vigne est trop fertile, on coupe un certain nombre de grappes pour limiter les rendements et faciliter la maturation des grappes restantes. Des rendements faibles assurent généralement un vin de meilleure qualité. La vendange verte est parfois la conséquence d'une utilisation trop massive d'engrais, ce qui est finalement contre-productif.

Les traitements

Entre le débourrement et les jours qui précèdent la vendange, il faudra traiter la vigne contre les insectes, les champignons, les virus qui la menacent. Le viticulteur possède tout un arsenal de possibilités pour y parvenir : pesticides, insecticides, bouillie bordelaise (mélange de sulfate de cuivre et de chaux), soufre, tisane d'orties. Il les utilisera en fonction de son type d'agriculture : intensive, raisonnée, biologique ou biodynamique. L'agriculture intensive est en nette régression en France. Après avoir usé et abusé de grosses doses de produits chimiques et constaté un épuisement des sols, sans parler des risques sanitaires pour les consommateurs, les viticulteurs se sont tournés vers l'agriculture raisonnée. Là encore, les produits chimiques sont autorisés : cette viticulture utilise tout ce qui est à sa disposition pour lutter contre les parasites et les maladies. Mais il s'agit de les employer avec discernement, au bon moment. Le viticulteur attend un certain seuil de nuisibilité avant de dégainer des produits phytosanitaires ciblés.

Vendanges : à la main ou à la machine ?

Les deux méthodes ont leurs avantages et leurs inconvénients. La machine est un moyen économique et rapide de vendanger. Elle nécessite peu de main-d'œuvre et peut intervenir pile quand il le faut, quelle que soit l'heure du jour ou de la nuit. Son principe est plutôt simple : elle secoue les pieds de vigne et les grains de raisin mûrs se détachent des grappes. La machine les récupère grâce à un système de tapis roulant. Si elle est correctement réglée et bien conduite, les baies sont en bon état, détachées de leur rafle. En revanche, un réglage un peu trop brusque et les raisins sont abîmés, mêlés à des feuilles et le résultat est moche. Pire : une vigne secouée méchamment vit moins longtemps. Autre inconvénient : si les raisins n'ont pas mûri de façon homogène, la machine ramasse tout et il faudra redoubler d'attention au moment du tri. De plus, son emploi reste compliqué voire impossible dans les vignobles en pente ou difficiles d'accès. Dans certaines appellations, comme en Champagne ou dans le Beaujolais, la vendange à la machine est interdite.

La vendange à la main fait appel à une grosse main-d'œuvre pour couper les raisins et les transporter jusqu'au camion. Les vendangeurs ne sélectionnent que les raisins mûrs et les coupent soigneusement. Régulièrement, un porteur récupère le contenu du panier et l'entrepose dans des cagettes afin de ne pas écraser la récolte. Le travail est plus méticuleux et très respectueux de la vigne, c'est pourquoi ce type de vendange est privilégié pour les vins de grande qualité. Les vendangeurs peuvent intervenir sur tous les types de terrains. Mais ils doivent être nombreux, sinon le raisin pourrait s'abîmer en restant au soleil sur le camion. Et, évidemment, il faut pouvoir les payer. Dans tous les cas, il faut absolument éviter que les baies n'éclatent avant d'arriver au pressoir. Dans le cas contraire, le jus pourrait s'oxyder et se détériorer.

La vinification en rouge, en blanc et en rosé

Avant toute chose, il faut trier le raisin qui a été cueilli. Parfois le raisin est trié sur le lieu de la vendange avant d'être transporté. Le plus simple est de le faire à son arrivée à la cave. Il existe de grandes tables de tri manuel, où les vendangeurs affectés à ce poste scrutent soigneusement les grappes pour retirer les grains les plus laids, les moins mûrs, voire, *brrrr*, les pourris. Tant qu'ils y sont, ils peuvent les égrapper ou les érafler, c'est-à-dire séparer les baies de leur tige ligneuse. Les plus méticuleux effectueront encore un tri après l'égrappage pour être sûr de sûr d'avoir une sélection parfaite. Désormais, les plus grandes maisons utilisent une machine qui érafle tranquilou. Il existe même des trieuses optiques qui fonctionnent plus ou moins bien.

La vinification en blanc

On a le raisin mais maintenant, on en fait quoi ? On peut faire appel à ses potes qui vont sauter à pieds joints dans la cuve en chantant *lalala*. Mais ce n'est pas obligatoire. Cette étape, qui se fait avec les pieds ou avec une machine moins glamour mais plus propre, s'appelle fort à propos le foulage. Elle consiste à faire éclater les peaux du raisin pour en libérer le jus. Pour les blancs, cette étape n'est pas obligatoire vu que juste après, on va presser un bon coup. Le pressurage exprime tout le liquide de la baie, afin de mettre le jus à l'abri de la pellicule. Celle-ci pourrait donner des tanins ou colorer le jus et l'on ne souhaite ni l'un ni l'autre. Après le pressoir, le liquide est pompé. Direction, la cuve de fermentation.

Sous l'effet de la chaleur, les levures se réveillent. Les levures sont soit indigènes, c'est-à-dire qu'elles étaient peinardes sur la peau du raisin, soit exogènes, conçues en laboratoire et ajoutées par le vigneron. Elles vont transformer le sucre en alcool et en gaz carbonique. La plupart des vins blancs fermentent dans une cuve en Inox réfrigérée. Mais les plus chics vivent leur fermentation directement dans de petits fûts de chêne, dont ils tirent des arômes de vanille et de brioche.

Le contrôle de la température est un atout précieux : si elle est trop basse, la fermentation ne part pas. Mais si elle est très haute, elle détruit des arômes. L'idéal est donc une fermentation lente à température assez basse (plus d'arômes fruités) ou moyenne (plus de gras). La plupart des exploitations utilisent des cuves thermorégulées. Cette fermentation alcoolique dure entre quelques jours et un mois.

Quand la fermentation s'arrête, c'est qu'il n'y a plus de sucre ou que le taux d'alcool a tué les levures. Il est temps de se reposer un peu : c'est l'élevage. Pendant une période de quelques jours, quelques mois ou quelques années, le vin va mûrir. Cette patine, qui permet au vin de s'harmoniser et de s'équilibrer, c'est un peu comme les vacances après une période de travail intense : ça ne fait jamais de mal ! Comme pour la fermentation, l'élevage peut se faire en cuve (Inox ou ciment) ou en fûts (surtout si le vin y a déjà fait sa fermentation).

Le vigneron peut alors, s'il en a la possibilité, assembler les cuvées ou les cépages du domaine qui ont été vinifiés séparément. Il obtiendra alors un vin d'assemblage, comme pour un bordeaux ou un côtes-de-provence, bien différent et meilleur que chaque lot goûté séparément.

Souvent, à ce stade, on filtre et on colle pour rendre le vin limpide. Il est possible d'utiliser de nombreux filtres très fins, mais ce procédé peut nuire à la qualité. La plupart du temps, on colle avec du blanc d'œuf ou de la gélatine pour faire précipiter les particules avant de filtrer grossièrement. Certains vignerons bio ne collent pas afin de ne pas mettre des produits exogènes en contact avec le vin. D'où parfois un trouble visuel dans le verre.

Ça y est, on peut mettre en bouteille !

La vinification en rouge

La vinification en rouge est à la fois semblable et pas pareille. D'abord on foule (important cette fois) et, très souvent, on érafle : on détache les baies de raisin de la rafle, cette fameuse tige qui relie les baies de raisin entre elles. On peut garder un peu de rafles pour renforcer les tanins, car elles en contiennent beaucoup, mais ce n'est pas l'usage en général. Le premier grand changement, c'est la macération. Avant, pendant après la fermentation alcoolique, on laisse le jus au contact des peaux et des pépins, on ne presse pas tout de suite. Objectif : couleur et tanins ! La pellicule contient en effet les agents colorants du vin, ainsi que les tanins, aussi utiles pour la conservation du vin que pour sa structure en bouche. Dans la cuve (ou le fût) de fermentation, le vin en formation (tant que ce n'est pas du vin, on l'appelle le moût) va se scinder en deux : d'un côté le jus qui reste au fond, de l'autre le marc, constitué des pulpes et des pellicules. Ce marc va remonter à la surface et former un chapeau très dur (parfois on peut danser dessus). Pour favoriser l'extraction de ses composants, il faut le briser et l'enfoncer dans le jus pour les remettre en contact : c'est le pigeage.

Quand la fermentation ainsi que l'extraction des tanins et de la couleur se sont bien passées, on tire le liquide, qu'on appelle vin de goutte. On ne jette surtout pas le chapeau de marc ! On le presse pour en extraire le vin de presse. Comme ce dernier est plus costaud, on élève les deux vins séparément et on les assemble à la fin.

Ensuite vient l'élevage comme pour le blanc. Mais contrairement à la plupart des blancs – et voilà la deuxième particularité de la vinification en rouge –, le rouge ne se tient pas peinard. Il bénéficie d'un processus qui s'effectue naturellement : la fermentation malolactique. Si vous voulez faire « genre », vous dites négligemment : la malo. Une bactérie particulière change l'acide malique (semblable à l'acide d'une pomme verte) en acide lactique (celui qu'on trouve dans le lait). Ce dernier est plus doux, plus velouté, moins piquant. Pour les vins rouges, c'est beaucoup mieux. La fermentation malolactique se déclenche parfois dans les vins blancs assez capiteux, mais n'est pas souhaitée pour les blancs qui doivent garder de la fraîcheur. Si elle se déclenche inopportunément, on peut la stopper avec l'ajout de soufre.

Cuve ou fût ?

L'Inox ou le béton de la cuve sont des matériaux neutres, ils n'enlèvent ni ne rajoutent rien au vin. C'est le fruité qui est mis en avant, particulièrement intéressant pour des vins vifs et légers. Lors d'un élevage en fût (la plupart du temps de chêne, plus rarement de quebracho en Amérique, de châtaignier ou d'acacia), le vin va beaucoup échanger avec le bois. Surtout si le fût est neuf. Ce dernier va transmettre tous les arômes d'élevage (appelés aussi arômes tertiaires) : du grillé, du toasté, du vanillé, du brioché, du praliné. Généralement, le vigneron ou le maître de chai (qui est le pro de la vinification) ont des fûts d'âges différents pour graduer l'influence de l'élevage. En effet, un vin qui ne serait élevé qu'en fûts neufs verrait tous les arômes de fruits et de fleurs masqués par l'influence du bois. Quel dommage ! Sans compter qu'il en coûterait une véritable fortune au vigneron de renouveler son stock chaque année.

Il y a aussi cet étrange phénomène d'oxygénation. En effet, par le bois du fût et son bouchon, de minuscules quantités d'oxygène entrent en contact avec le vin. En échange, le vin s'évapore : c'est la part des anges. Cet échange gazeux fait évoluer le vin, patine ses tanins, transforme les arômes, entame un processus de vieillissement qui se poursuivra longtemps dans la bouteille. Tous les vins ne sont pas censés vivre cette expérience. Pour supporter cet échange, il faut avoir un peu d'épaule.

La vinification en rosé

Il y a deux manières d'obtenir du rosé. La première et la plus fréquente se nomme rosé de saignée. On commence à vinifier comme pour le rouge, mais quand le jus a pris une belle couleur rosée, on le sépare des peaux avant qu'il ne vire au rouge. Ensuite on suit le schéma du vin blanc. Cette technique a deux avantages. D'abord on peut ajuster la couleur souhaitée en jouant sur le temps de macération. Ensuite on peut l'élaborer à partir d'une cuve destinée à produire du vin rouge : au milieu de la macération, on retire une partie du jus qui servira pour le rosé. D'où son nom, de saignée, car on saigne la cuve de rouge.

L'autre méthode est le rosé de pressurage. On fait exactement comme pour le blanc, mais on utilise des raisins rouges. La couleur se transmet pendant le pressurage ou l'éventuel foulage. Mais elle reste très pâle et son intensité ne peut pas être contrôlée par le vigneron. C'est ainsi qu'on réalise les vins dits gris, comme le gris de Toul.

Les cas particuliers :
les effervescents et les liquoreux

Les effervescents

Plop ! Qu'il est doux le bruit du bouchon d'un effervescent ! Il y a plusieurs façons d'élaborer ce vin – oui, c'est bien un vin, qui se goûte comme les autres – mais la meilleure est sans doute la méthode traditionnelle, celle utilisée pour le champagne et beaucoup de crémants, cava, spumante... de qualité.

À la base, le vigneron élabore un vin blanc classique, quoique assez acide (le gaz carbonique diminue l'acidité). Une fois le vin prêt, on le met dans des bouteilles et on rajoute un mélange de sucre et de levure. *Cloc !* On capsule la bouteille. La deuxième fermentation démarre. Elle produit du gaz carbonique mais comme la bouteille est solidement encapsulée, le gaz reste dans la bouteille. Fâché d'être enfermé, il se dissout dans la bouteille, attendant sournoisement de pouvoir jaillir sous forme de mousse sur le visage des convives. C'est la prise de bulles !

Mais pourquoi une capsule provisoire ? Les levures ont certes bien bossé mais elles forment désormais un amas visqueux au fond de la bouteille qu'un vigneron ne peut décemment pas vendre ainsi. Alors tout doucement, il va incliner la bouteille tête en bas en la tournant légèrement, chaque jour, pendant plusieurs mois. Une patiente opération qui permet de regrouper toutes les levures mortes et de les accumuler dans le goulot. Aujourd'hui des machines se chargent de tourner et de redresser les bouteilles, excepté pour certaines cuvées prestigieuses qui sont toujours tournées à la main. Quand le dépôt s'est accumulé dans le col, on gèle ce dernier et on décapsule. Le sédiment solidifié par le froid est expulsé comme une balle par la pression du gaz : c'est le dégorgement. Vite, vite, on incorpore une petite liqueur sucrée pour rajouter un peu de sucre si on le souhaite et on met un beau bouchon qui prendra bientôt la forme d'un champignon. C'est prêt !

Les liquoreux

Une précision pour commencer : on distingue les moelleux des liquoreux. Les deux sont des vins sucrés, car ils conservent des sucres après la fermentation alcoolique. Un moelleux est un vin qui conserve moins de 45 grammes de sucre par litre, un liquoreux en compte plus de 45 g/l.

Il y a deux façons de vinifier des vins sucrés : la bonne et la mauvaise. La technique la plus simple, réservée aux vins moelleux… les plus simples, consiste à stopper la fermentation alcoolique en plein milieu du processus (grâce à l'ajout de soufre), afin que tout le sucre ne soit pas transformé en alcool.

La deuxième méthode, de loin la meilleure, repose uniquement sur la qualité des raisins vendangés. Ils sont cueillis tellement mûrs qu'ils sont beaucoup plus sucrés que les raisins habituels. Résultat, les levures finissent intoxiquées par l'alcool qu'elles ont créé et meurent avant même d'avoir grignoté tout le sucre. Dans les deux cas, on filtre dans la foulée les levures du vin.

Les plus grands liquoreux, tels les sauternes, les grands chenins de Loire ou les alsaces, viennent de raisins qui ont reçu un coup de pouce de la nature. Ils sont affectés d'une pourriture dite « noble » : *Botrytis cinerea*. Ce champignon, contrairement aux pourritures craintes par le vigneron (comme la pourriture grise), n'affecte pas la qualité du raisin. Au contraire, il développe les arômes de rôti et d'épices. Mieux encore, il diminue la teneur en eau de la baie et concentre le sucre et l'acidité. Au final, les grains de raisin sont très sucrés tout en gardant l'acidité qui permet au vin de vieillir si longtemps. Ces raisins botrytisés sont cueillis bien après les autres, en plein automne. D'où l'appellation (alsacienne) de « vendanges tardives ». S'ils sont vraiment très très sucrés, on parle de « sélection de grains nobles » en Alsace et en Anjou. Il existe aussi en Allemagne, Autriche et au Canada, des vendanges qui s'effectuent lorsque le grain de raisin a gelé. Cela s'appelle du vin de glace.

Les vins liquoreux demandent énormément de travail. Pendant la vendange d'abord, ou disons plutôt les vendanges. Car le *Botrytis* ne se développe pas uniformément, les raisins ne sont pas tous prêts au même moment. Il faut donc, à quelques semaines d'intervalle, procéder à plusieurs ramassages, trier sur le pied de vigne ce qui peut attendre et ce qu'il faut couper. Et bien sûr, impossible de le faire à la machine. De plus, comme l'eau s'est évaporée des baies, les rendements sont dramatiquement bas : il faut trois à quatre fois plus de raisin pour faire une bouteille. Ce qui explique que ces vins sont en moyenne plus chers.

Autre manière de fabriquer des liquoreux, qui demande tout autant de travail : laisser sécher les grains de raisin sur le pied de vigne. C'est possible dans les régions chaudes et sèches, comme à Jurançon et Gaillac. Une technique venue d'Italie et pratiquée dans le Jura, en Espagne et en Grèce consiste également à faire sécher les grappes sur de la paille ou des nattes pendant plusieurs mois. C'est le passerillage.

Le mutage des vins doux naturels

Le terme de vin doux naturel est trompeur. Pas forcément doux, le VDN n'est pas non plus à proprement parler naturel. On dit aussi : vin muté, ce qui est déjà plus imagé. Les Anglais utilisent quant à eux une expression particulièrement évocatrice : vin fortifié. Dans tous les cas ce sont des vins dont le degré d'alcool dépasse les 15 °C car ils ont reçu un ajout d'alcool en pleine fermentation. Ils sont souvent doux, parfois secs, blancs ou rouges.

Imaginons un vin en train de vivre sa fermentation. Tandis que les levures s'apprêtent à transformer le sucre en alcool, le vigneron stoppe leur travail en introduisant de l'alcool vinique pur (à 96 % d'alcool). Cet alcool neutre n'a aucun goût ni arômes, d'où le terme « naturel ». Néanmoins, il tue les levures et les sucres ne sont pas transformés (ou pas complètement, si les levures ont déjà commencé à bosser). C'est pourquoi les vins doux naturels font parfois penser aux vins liquoreux. Le plus connu au monde est certainement le porto, élaboré au Portugal. En France, ce procédé est utilisé pour produire entre autres, en blanc : du muscat de beaumes-de-venise, muscat de rive-saltes, muscat-du-cap-corse, muscat-de-frontignan. En rouge, le rasteau doux, banyuls et maury, produits à partir du cépage grenache.

Ce mutage peut également se faire à l'eau-de-vie. On les appelle alors : des vins de liqueur. Parmi les plus connus, le pineau-des-charentes, muté au cognac, le floc-de-gascogne à partir d'armagnac, et le macvin dans le Jura, avec du marc de Franche-Comté. Un cas atypique est le xérès, élaboré en Espagne à Jerez. En effet, ce vin n'est fortifié qu'après avoir accompli toute sa fermentation alcoolique. Ce qui explique qu'il soit sec (pour certains types de xérès, il est toutefois possible de rajouter du sucre avant la mise en bouteille).

Plusieurs de ces vins sont élevés en « milieu oxydatif ». Oxy-quoi ?

L'oxydoréduction, kézaco ?

Le vin passe sa vie à flirter entre deux phénomènes opposés : l'oxydation et la réduction. L'oxydation est dangereuse pour le vin. Elle le flétrit et le tue à petit feu. Si le vin passe son temps au contact de l'oxygène, il se détériore. Sa robe perd en intensité et prend des teintes orangées, pour le blanc comme pour le rouge. Ses arômes perdent leur particularité, évoluant, quel que soit le vin, vers la pomme blette, les noix, le curry, le pruneau. Puis le vin s'effondre vers le vinaigre ou le vin cuit. Ce chemin peut lui prendre un siècle, s'il est bien conservé, à quelques jours, mois ou années, si le bouchon de la bouteille n'est pas étanche. On dit alors qu'il a connu un vieillissement prématuré.

Pendant la vinification, on essaie de limiter les contacts avec l'oxygène. En particulier pour les vins blancs, plus sensibles à l'oxydation. Les vins rouges peuvent supporter un peu d'oxygène pendant la fermentation, mais ils sont à l'abri sous le chapeau de marc. Et dans les fûts, le maître de chai prend soin d'ouiller régulièrement : il rajoute du vin pour combler la quantité qui s'est évaporée. Une fois mis en bouteille, il est normalement protégé. C'est un milieu réducteur.

La réduction protège le vin, elle est l'assurance d'une longue vie. Néanmoins, rien ni personne n'est parfait. La réduction a un désagréable défaut : elle ne sent pas très bon. Elle se manifeste par des arômes de renfermé, de cagibi, voire de chien mouillé. N'en prenez pas ombrage à l'ouverture d'une bouteille, considérez cela comme une malice de jeunesse. Un vin réduit signale qu'il est plein de vie. Une vigoureuse aération et il n'y paraîtra plus. Parfois, quand le vin a été vinifié, élevé, et embouteillé dans un milieu très réducteur, la garce s'accroche. Si vous n'avez pas fini la bouteille à la fin du dîner, vous verrez alors qu'elle est bien meilleure le lendemain, après avoir pris l'air. Cela vous est peut-être arrivé. Vous n'avez plus qu'à réinviter vos amis sur-le-champ.

Le cas des vins élevés sous voile

Il existe tout un tas de vins qui, néanmoins, savent copiner avec l'oxydation. Citons parmi eux, le xérès fino, le porto tawny, le banyuls et de nombreux autres vins doux naturels. Sans oublier le vin jaune du Jura. Après la fermentation, ils sont élevés dans des fûts. Mais ces derniers ne sont pas entièrement remplis : il reste une poche d'air. Des levures futées apparaissent en surface et forment un voile protecteur. Le vin peut entamer son élevage en oxydation maîtrisée. Il développe alors les arômes décrits plus haut mais avec infiniment d'élégance et de complexité. En plus, il aura une grande espérance de vie. Certains vins se passent carrément du voile, mais leur caractère est nettement plus oxydatif avec une tendance vers le madère qui, lui, est chauffé pendant l'élevage.

Chapitre 3

L'importance
du terroir
et du millésime

Vous l'avez compris, le cépage, la vinification et l'élevage ont une importance fondamentale sur le style du vin. Mais l'effet du millésime et du terroir joue également un rôle majeur, ajoute de la complexité jusqu'à parfois brouiller totalement les pistes.

Le climat et la météo,
aussi différents qu'importants

Le climat

Il ne faut pas confondre le climat et la météo. Le premier est constitutif d'une zone géographique. La France, située dans une zone tempérée, est traversée par plusieurs climats : un climat océanique pour les vins de Bordeaux, climat semi-océanique pour les vins du centre Loire, du Sud-Ouest jusqu'à la Champagne, climat semi-continental pour la Bourgogne et le Rhône, climat montagnard pour le Jura et la Savoie, climat méditerranéen pour les vins de Languedoc, Roussillon et Provence.

À ces grandes zones s'ajoute une foultitude de microclimats, qui dans une cuvette, qui protégé par le flanc d'une colline, qui exposé au vent de la vallée. L'ensoleillement, les précipitations, la force du vent, l'écart de température entre l'aube et le zénith, tous ces paramètres concourent à faire mûrir le raisin plus ou moins rapidement, à faire sécher les grappes battues par le mistral ou à maintenir les racines au frais. Ces climats donnent des indications sur la conduite viticole à appliquer : les cépages à privilégier, le palissage et la taille adaptés, et tranche sur le dilemme de la maturité : cueillir bien mûr ou garder de la fraîcheur.

Et le réchauffement climatique dans tout ça ?

La hausse lente et progressive de la température mondiale pourrait bien rebattre les cartes. Il est de plus en plus ardu, dans les régions sud, de protéger les raisins de la brûlure du soleil et de garder une acidité indispensable à la tenue des vins. Résultat, les consommateurs boivent des vins trop lourds et alcooleux. À l'inverse, certaines appellations austères se font charmeuses. Même en Alsace, certains vins affichent une mine solaire insolente.

Une théorie œnologique communément admise expose que les plus beaux vins se créent dans la limite septentrionale de leur cépage. Autrement dit la zone la plus au nord au-delà de laquelle les raisins ne mûrissent pas. Pour la syrah en France, par exemple, c'est l'appellation côte-rôtie. Or le réchauffement est en train de faire glisser subrepticement cette limite vers le nord. Ainsi, la Champagne est le vignoble le plus nordique français. Il y a encore vingt ans, les effervescents de la côte anglaise étaient rarement cueillis mûrs. Aujourd'hui, les récoltes sont meilleures… et le vin s'en ressent. Et si, dans trente ans, les meilleurs champagnes étaient anglo-saxons ?

La météo

La météo, elle, signe le millésime. Une année chaude et pluvieuse qui suit une année froide et sèche donnera un vin au caractère fort différent de son aîné. Si la météo se montre clémente (notez que l'interprétation d'une météo clémente varie selon les régions), le raisin atteindra facilement sa plénitude, sans perte ni pourriture, avec des baies gorgées de sucre et d'acidité ; elles seront vendangées sereinement. Parfois, cela ne suffit même pas et le raisin s'emballe après coup. Jean-Nicolas Méo, du sublime domaine Méo-Camuzet, se rappelle avec une certaine frustration du millésime 1992 : « Je n'ai rien compris : il avait fait un temps superbe, les raisins étaient très mûrs. Tout devait bien se passer par la suite. Pourtant, ce fut le pire élevage de ma vie. Tout s'est emballé, la fermentation malolactique fut tumultueuse comme jamais. Aujourd'hui encore, je ne m'explique pas ce qui a pu se passer pour que les raisins soient aussi compliqués à transformer en vin. »

Si la météo ne se montre pas coopérative, le viticulteur peut perdre une partie de sa récolte : pourriture, brûlure, grêle, etc. Quant au raisin sain récolté, il sera profondément marqué par ce qu'il a vécu : une année chaude le blindera de sucre et ressortira dans le vin avec un alcool plus chaleureux qu'à l'habitude. C'est le cas du millésime 2003, année de la canicule partout en France. Une année pluvieuse aura tendance à gonfler le raisin d'eau, d'où un vin plus dilué, plus maigre. S'il fait froid en plus de la pluie, l'acide et les tanins seront mis en avant et façonneront un vin plus austère.

Pour compliquer les choses, sachez qu'un bon millésime dans le nord ne l'est pas forcément dans le sud ou l'ouest. La qualité du millésime dépend aussi de la région. Il y a malgré tout quelques années bénies, comme 1989, 2005 et 2009, excellentes dans tout l'Hexagone.

Le choix de la date des vendanges est fondamental et révèle tout l'art du viticulteur : trop tôt, les raisins manquent de sucres et sont plus acides. Trop tard, le raisin est surmaturé, trop riche en sucre, le vin sera lourd et pâteux. Mais il faut jongler avec les caprices de la météo, les pluies abondantes feront pourrir le raisin, une chaleur caniculaire le dessèchera.

Voilà en tout cas pour la théorie ; la réalité est souvent bien plus subtile. Pour bien ressentir le phénomène, le plus simple est de goûter. Demandez à un viticulteur (que vous connaissez un peu, si possible) de vous organiser une verticale : il s'agit de goûter à la suite plusieurs millésimes d'un même vin. Généralement, la verticale remonte le temps, du plus jeune au plus vieux. Vous serez surpris de constater que le vin ne diffère pas seulement en fonction de son âge, mais du millésime qui l'a vu naître. Le vigneron vous expliquera pour chaque bouteille les conditions de la récolte et vous comprendrez rapidement leur influence. Et surtout, vous pourrez découvrir de petits miracles : des cuvées magnifiques malgré une météo pourrie. Quelle joie !

Cas particulier : il existe des vins qui camouflent l'effet du millésime. Le but est de produire un vin identique année après année, d'une qualité homogène. Il s'agit parfois de vins de marque produits en énormes quantités (plus de 10 millions de bouteilles) et visant un goût standard, reconnaissable et reproductible d'année en année. Mais c'est aussi et surtout le cas des champagnes non millésimés. Avez-vous remarqué que la plupart des champagnes n'ont pas de date sur leur étiquette ? En effet, la récolte du millésime est assemblée avec des vins plus vieux de la maison, en fonction de leurs caractéristiques. Parfois 50 % du champagne est issu de vins plus âgés. L'objectif : là encore, pouvoir proposer un produit fidèle à son image, façonné à la façon de la palette de couleurs d'un peintre. Ce n'est pas le cas des champagnes millésimés, qui reflètent le caractère d'une année spécialement formidable.

Le terroir,
une invention française ?

Savez-vous que le mot terroir n'a pas d'équivalent en anglais ? « *This is a beautiful terroir, my dear !* » Eh oui, ce mot est français et les étrangers ont toutes les peines du monde à le comprendre. Et à vrai dire... nous aussi ! Car le terroir désigne un ensemble varié et complexe de caractéristiques qui, imbriquées les unes dans les autres, créent la typicité d'un vin.

Une bonne définition du terroir serait « l'ensemble des facteurs naturels (climat, géologie, pédologie, hydrologie, topologie, environnement...) et humains (tradition, savoir-faire et usages tant viticole que vinicole...) » réunis autour d'un vin (définition sur le site officiel des vins de Bourgogne sur : www.vins-bourgogne.fr).

Le terroir d'un vin, c'est son berceau :

• Il y a le ciel qui l'a vu naître. Un terroir dure. C'est donc le climat général et non la météo d'une année qui le définit.

• C'est aussi le vent qui caresse ou fouette la vigne. Un vent froid qui rafraîchit les raisins sous le cagnard, un vent chaud qui sèche les baies et les aide à mûrir.

• L'altitude joue évidemment un rôle. Mais aussi l'inclinaison du coteau, qui permet justement au vent de s'engouffrer (ou pas), ainsi qu'à l'eau de mieux circuler. Cette inclinaison peut orienter les vignes dans une direction plus ou moins ensoleillée.

• N'oublions surtout pas le sol. Ou plutôt, le sous-sol, la roche mère, que les racines chatouillent, embrassent, agrippent. En France, on trouve de nombreux types de sous-sols : argile et calcaire très présents, marne suite à la disparition d'océans, schiste, granite et gneiss issus des montagnes, sable et gravier des mers, fleuves et deltas, graves, cailloux roulés, sol crayeux, basalte et roches volcaniques. Souvent, dans les régions viticoles, les roches se succèdent, comme le mille-feuille bourguignon qui alterne argilo-calcaire, marne et argile, calcaire silceux dur, calcaire marneux plus tendre… délimitant ainsi les différents terroirs. Ou plutôt, les différents « climats » comme on surnomme désormais le terroir par là-bas. Chaque sol donne au vin un caractère différent, plus ou moins gras, plus ou moins minéral.

Un point important : plus le sol est pauvre, mieux c'est pour la vigne. Les bons vins naissent de sols ingrats, avares en eau et en nutriments. La vigne, pour se nourrir, va envoyer ses racines puiser le plus profondément possible pour sa survie, à plusieurs mètres sous la terre. Plus les racines sont profondes et meilleur est le vin. Un sol riche et fertile, à l'inverse, rendra la plante feignante des pieds, alors qu'elle jaillira du sol comme une liane et produira un nombre indécent de grappes de raisin… dont le jus sera dilué. Vous l'aurez compris, pour produire du bon vin, la vigne doit souffrir (un peu). Les vignerons (un poil sadiques, donc) parlent d'un nécessaire « stress » de la vigne.

Le ciel, la terre... et les hommes

Le vin n'est rien sans les hommes. C'est pourquoi le sens même de terroir prend en compte le travail viticole (à la vigne) et vinicole (sur le vin), les traditions, les usages et le savoir-faire humain. Le terroir existe-t-il sans l'homme ? C'est impossible. Une terre laissée à l'abandon, des vignes qui poussent en tous sens, des maladies du végétal que personne ne soigne… ne peuvent pas donner du bon vin. Jamais. Il faut un viticulteur pour remuer la terre, planter dans la bonne pente, tailler juste ce qu'il faut, cueillir le raisin au bon moment. Il faut adapter son travail selon la terre, le climat, la météo. Au XIe siècle en Bourgogne, les moines goûtaient la terre pour décider de la conduite à tenir. Nous avons aujourd'hui des moyens sophistiqués qui nous permettent d'évaluer plus scientifiquement les soins à apporter. Mais le souci reste le même, l'homme veille au chevet de son raisin.

Face à l'idée romantique d'un terroir immuable, l'homme apporte une réalité différente. À l'heure où les moyens techniques nous permettent presque tout, une question s'élève : à quel point l'homme construit-il le terroir ? Ainsi, avant d'abriter les plus beaux terroirs du monde, le Médoc de Bordeaux était, il y a quelques siècles, composé de marais qui furent asséchés au XVIIe siècle par Colbert et les Hollandais pour y planter la vigne. Au début du XXe siècle, nos aînés cassaient la roche à coups de pioche pour faire une place aux racines. Plus récemment, le légendaire Henri Jayer, à Vosne-Romanée, utilisait 400 bâtons de dynamite pour « construire » sa parcelle de cros-parantoux, désormais mythique.

Ces modifications de terroirs demeurent exceptionnelles. Mais l'homme façonne son terroir. Chaque vigneron l'interprète à sa façon, lui donnant une expression qu'un autre ne ferait pas. Avec parfois des dérives. Dans les années 1970 et 1980, l'abus de produits chimiques a épuisé certains sols et ôté toute expression au terroir, comme des tomates hors-sol vendues en grande surface. Aujourd'hui, les enfants font marche arrière et travaillent la terre différemment. Du grand-père au petit-fils, le vin évolue selon les mains qui le créent. En ce sens, le terroir est à la fois éternel et en constante évolution.

Chapitre 4

Les grandes régions viticoles françaises

Faire la différence !

Un ami vous invite à dîner, il sert un vin à l'aveugle. « Qu'est-ce que c'est ? » D'abord vous saurez que votre ami, outre être un bon farceur, a des tendances sadiques. Sinon il ne jouerait pas à ce jeu-là avec vous. En effet, le nombre de dégustateurs dans le monde capables de reconnaître l'appellation, le millésime et le domaine d'une bouteille anonyme se comptent sur les doigts des deux mains. Et ils ont un loooooong entraînement derrière eux.

Reconnaître au moins la région d'origine d'un vin est en revanche plus aisé. Chaque grande appellation viticole élabore ses vins selon des cépages, un climat et un style qui les distinguent des autres. Encore faut-il que le vin soit représentatif du coin. Il existe en effet ce que les dégustateurs nomment entre eux des vins pirates. Ils ressemblent au style d'une région mais viennent d'une autre.

Tout ce que nous pourrons dire ici sera très général et parfois caricatural. Néanmoins voici quelques trucs pour ne pas trop divaguer.

• **Entre un blanc et un rouge :** bon, c'est une blague. Mais vous voyez, vous faites déjà cette différence, ce n'est pas si mal. Sachez tout de même que dans un verre qui vous cache la couleur, c'est parfois compliqué. Notamment pour un vin rouge très léger ou un vin blanc gras et boisé. Un vin blanc n'a pas de tanins, c'est un bon point de repère en bouche. Il a plutôt des arômes d'agrumes ou de fruits blancs, tandis qu'un rouge a des arômes de fruits rouges et noirs.

• **Entre un bourgogne et un bordeaux rouges :** un bourgogne a une couleur beaucoup moins soutenue qu'un bordeaux. Ses arômes penchent davantage vers la fraise et la cerise, des fleurs comme l'iris. Les tanins sont relativement fins. Un bordeaux est plus foncé, avec à la surface un liseré violet dans sa jeunesse. Ses arômes sont plus soutenus, sur le cassis, la prune, une pointe de violette ou de menthe, mais aussi du tabac et des arômes boisés un peu grillés, comme le café, le caramel. En bouche, les tanins sont beaucoup plus présents, souvent astringents dans leur jeunesse. Il y a plus de matière, de puissance.

• **Entre un bourgogne et un alsace sec blancs :** le bourgogne blanc, à base de chardonnay, est beaucoup plus gras. Il mêle généralement des arômes de beurre, de brioche, de noisette et de citron/bergamote. En bouche, il s'étale. L'alsace possède des blancs très différents, mais ils sont souvent plus secs, plus « droits » en bouche, avec plus de précision que d'ampleur. Ses arômes sont plus sur les agrumes et la minéralité que sur la pâtisserie.

• **Entre un vin de Loire et un côtes-du-rhône rouges :** le premier, habituellement fait de cabernet franc, est plus fruité et moins chaud que le second, davantage tourné vers les épices. Un rouge de Loire sent souvent la framboise, la cerise, le cassis, avec parfois de discrètes pointes herbacées, mentholées ou réglissées qui participent à sa fraîcheur. Le côtes-du-rhône se reconnaît à sa syrah poivrée et puissante, ses épices, ses fruits noirs et ses notes de gibier. En bouche il est plus rond, plus gourmand.

• **Entre un bordeaux et un vin du Sud-Ouest :** si le bordeaux est foncé, il n'est jamais aussi sombre et noir que le vin du Sud-Ouest. Dans un verre, ce dernier est complètement opaque, avec une densité qui se distingue à l'œil. Le nez est intense et épicé. Réglisse, cacao, moka, thym, clou de girofle se mêlent aux arômes de mûre, myrtille, figue. En bouche, vous sentez beaucoup de matière, parfois même de la mâche, cette impression de manger autant que de boire.

Le Bordelais

Son look ?

Le nom suffit à faire trémuler les palais et trembler les langues. Dans cette région la plus connue du monde pour ses vins, les domaines sont des châteaux. Si certains d'entre eux sont splendides, ils n'ont ni tourelles, ni pont-levis. Certains sont de simples bâtisses fermières. Mais c'est ainsi que l'on nomme un vignoble bordelais dont les vignes entourent le bâti.

Dans le Bordelais, qui s'étend de part et d'autre de la Gironde jusqu'à la mer, il faut distinguer la rive gauche de la rive droite. La première concentre le Haut-Médoc, le Médoc, Pessac-Léognan et les Graves plus au sud. Le vin y est à dominante de cabernet-sauvignon. La rive droite rassemble Pomerol, Saint-Émilion, Côte-de-Blaye et Côte-de-Bourg, où le merlot caracole en tête. Le cabernet franc y est également bien présent. Entre les deux rives, là où la Dordogne rejoint la Garonne, se trouve une zone nommée fort à propos : Entre-deux-Mers.

Si le rouge est le châtelain des deux rives, particulièrement près de l'embouchure du fleuve au nord de la ville, le blanc prend ses aises au sud de la capitale girondine. Basé sur le sauvignon et le sémillon, il est sec à Pessac-Léognan et dans l'Entre-deux-Mers, mais devient liquoreux à Sauternes ou Barsac.

Un prix fixé très tôt

Les vins de Bordeaux étaient déjà renommés au Moyen Âge, grâce à Aliénor d'Aquitaine, reine de France au XIIe siècle. Aujourd'hui, plus de 700 millions de bouteilles portant le nom de Bordeaux sur leurs étiquettes se vendent chaque année, à travers le monde. Leur prix moyen est fixé grâce à la grande dégustation annuelle des primeurs, réservée aux dégustateurs professionnels (dont le très influent Parker) qui évaluent le potentiel du vin. Cette pratique fait l'objet de vives critiques, car le vin vient d'être embouteillé et n'est encore qu'un « bébé ». Tous ne sont pas prêts à être goûtés et certains déjouent régulièrement les pronostics, se révélant magnifiques alors qu'ils étaient estimés sans avenir.

Ses noms ?

Des appellations, mais pas seulement. 1er, 2e, 3e… Comme à l'école, les vins sont sévèrement notés et classés. Bordeaux est une région vinicole très hiérarchisée. Il y a d'abord les appellations basiques, avec Bordeaux et Bordeaux supérieur, puis des appellations régionales, comme Médoc, dans lesquelles on trouve des appellations communales : Saint-Estèphe, Margaux, Pauillac… Dans chacune d'entre elles, les châteaux produisent des vins de qualité hétérogène.

Un classement

Dès 1855, un grand classement a évalué les 61 meilleurs châteaux de la rive gauche produisant du vin rouge. Le classement s'échelonne du 1er au 5e cru. On dit donc « 1er, 2e ou 3e cru classé ». Autrement dit : un médoc, c'est bien ; un margaux, c'est mieux ; un margaux 2e cru classé (par exemple château Lascombes), c'est formidable. Quant au seul margaux 1er cru classé (château Margaux), là, c'est exceptionnel, on remercie la vie.

Ce classement n'a presque pas bougé depuis 1855 (sauf pour mouton-rothschild) et même si les réputations ont évolué, il reste une base fiable. Derrière ces prestigieux châteaux se bouscule une foule de crus bourgeois, eux-mêmes divisés en crus bourgeois exceptionnels, supérieurs et crus bourgeois tout court.

Parmi les blancs liquoreux de Sauternes et Barsac, on trouve un premier cru supérieur (château d'Yquem) puis une liste de 1ers et de 2es crus classés.

Côté rive droite, le classement est plus récent : il date de 1954 et subit des révisions tous les dix ans. Il distingue les 1ers grands crus et les grands crus. Les Graves ont fait simple, avec une liste de châteaux classés en blanc comme en rouge sans davantage de hiérarchie. Enfin, Pomerol et Lalande de Pomerol n'ont pas de classement. Ouf ! Qu'en penser ? D'abord que ce classement a une grande influence sur les prix et qu'il est figé dans le temps quand les productions évoluent en fonction des millésimes et vignerons qui font le vin. Les vins classés sont certes bons, voire délicieux ou inoubliables. Mais il existe aussi de très bons vins qui ne sont pas classés (pétrus à Pomerol, par exemple, se vend 1 000 € la bouteille et n'est pas classé. D'autres coûtent heureusement beaucoup moins chers et réservent de formidables surprises). Ne soyons pas trop obnubilés par les étiquettes !

Je bois quoi ?

Dans cette région, le sublime côtoie l'épouvantable. Il y a des vins que vous serez ravis d'avoir goûté au moins une fois dans votre vie. Et d'autres qui sont à peine passables mais qui profitent de la renommée de leur appellation, ainsi que d'un nom ressemblant vaguement à un plus prestigieux, pour afficher un prix indécent.

La réputation des vins de Bordeaux a créé tout un courant de châteaux qui produisent en grande quantité des vins dits « techniques », très boisés, très identifiables comme des bordeaux mais qui se ressemblent tous et, s'ils font sérieux, sont aussi très ennuyeux à boire. Voilà le problème de Bordeaux : les meilleurs vins sont inabordables, d'autres sont connus grâce à un marketing efficace mais présentent peu d'intérêt dans le verre. Heureusement, il y a aussi beaucoup de petits châteaux de vignerons qui font de jolis vins à prix très raisonnable mais qui ne sont pas connus.

Comment s'en sortir ? D'abord en cessant de confondre les noms : un vin du château Mouton-Rothschild, pauillac 1er cru classé n'a rien à voir, ou presque, avec Mouton-Cadet, vin correct et générique qui s'écoule à plus de 12 millions de bouteilles dans le monde.

Pour autant, ne dédaignez pas les noms farfelus : château La Levrette se fait connaître depuis deux ans sur les réseaux sociaux grâce à une vidéo qui ne manque pas de piquant, mais présente par ailleurs un vin très agréable. Cheval noir n'est pas un cousin renié de cheval blanc et, si le nom ne trompe personne, le vin reste, lui, très intéressant.

La perle rare ne se trouve pas au supermarché : les bordeaux qui ont un bon rapport qualité-prix sont produits en petite quantité et ne sont pas distribués à grande échelle. Les blancs secs d'une appellation reconnue sont souvent bons et pas trop chers. Pour les rouges, préférez la petite sœur d'une grande appellation : lalande-de-pomerol est moins chère que pomerol, cadillac est moins connue et moins onéreuse que sauternes, *idem* pour les côtes-de-castillon face à saint-émilion, moulis face à margaux.

Dans les petits vins, cherchez les grands millésimes et inversement : la dernière décennie n'a vu naître aucun mauvais millésime mais surtout deux grands : 2005 et 2009. Vous ne pouvez pas vous tromper avec ces deux années. Sur les vins qui nécessitent une longue garde, c'est-à-dire qu'ils doivent être gardés longtemps en cave avant d'atteindre leur maturité, orientez-vous sur des années de petite garde. Ils seront plus rapidement prêts à boire, comme le 2006.

La Bourgogne

Son look ?

Contrairement à Bordeaux, il n'y a pas de châteaux en Bourgogne, mais des domaines ou des clos – si la vigne est entourée de murets centenaires. À part Chablis et le Grand-Auxerrois, situés un peu à l'écart dans l'Yonne, le vignoble bourguignon s'étale du nord au sud, de Dijon à Lyon, sur un mince ruban de quelques kilomètres de large : Côte et Hautes-Côtes de Nuits, Côte et Hautes-Côtes de Beaune, Côte chalonnaise, Mâconnais. Enfin, on associe habituellement le Beaujolais à la région bourguignonne.

Les vins qui portent l'appellation chablis sont toujours blancs. La Côte de Nuits est très connue pour ses rouges, la Côte de Beaune plutôt pour ses blancs, en dehors de pommard et volnay qui produisent exclusivement des rouges. On trouve du blanc et du rouge partout ailleurs, mais aussi de l'effervescent, le crémant de Bourgogne.

Ses noms ?

Les appellations bourguignonnes sont extrêmement nombreuses et assez hiérarchisées : l'appellation est d'abord régionale (exemple : mâconnais), puis communale (exemple : pouilly-loché), puis 1er cru (exemple : pommard 1er cru Clos des Épenots) et au top, grand cru (exemple : Bonnes-Mares – Grand Cru de la Côte de Nuits).

En voici quelques-unes, du nord au sud : chablis, saint-bris, irancy. Dans les côtes-de-nuits : marsannay, fixin, grevrey-chambertin, morey-saint-denis, chambolle-musigny, vougeot, échezeaux, vosne-romanée, nuits-saint-georges, ladoix-serrigny. Dans les côtes-de-beaune : pernand-vergelesses, aloxe-corton, savigny-lès-beaune, chorey-lès-beaune, pommard, volnay, monthelie, auxey-duresses, saint-romain, meursault, puligny-montrachet, chassagne-montrachet, saint-aubin, santenay, maranges. Dans la côte chalonnaise : bouzeron, rully, mercurey, givry, montagny. Dans le Mâconnais : mâcon-villages, mâcon, viré-clessé, saint-véran, pouilly-fuissé, pouilly-loché, pouilly-vinzelles. Dans le Beaujolais : saint-amour, juliénas, chénas, moulin-à-vent, fleurie, chiroubles, morgon, régnié, brouilly, beaujolais, beaujolais-villages.

Les différences ?

Pas au niveau des cépages : chardonnay pour la quasi-totalité des blancs (à l'exception des bourgognes aligotés et du sauvignon pour le saint-bris), pinot noir pour la quasi-totalité des rouges bourguignon, gamay pour le beaujolais.

En revanche, la région compte. Le pinot noir est très fin au nord, plus terreux sur la Côte chalonnaise, plus ample et moins intéressant dans le Mâconnais. Le beaujolais rouge peut varier de simple et gouleyant à structuré et profond selon sa qualité. Pour les blancs, le chardonnay est pur et minéral à Chablis, gagne en amplitude et en puissance sur la Côte-de-Beaune, est gras voire onctueux dans le Mâcon et le Beaujolais.

Le rapport qualité-prix ?

Sur les grandes appellations, les bourgognes sont chers, voire très chers. La bonne solution est de se rabattre sur des crus communaux moins connus mais géographiquement proches des plus prestigieux. Par exemple, un monthélie plutôt qu'un volnay rouge ou un saint-aubin plutôt qu'un meursault blanc. Quant aux beaujolais, certains sont vraiment excellents sans être chers.

La Loire

Son look ?

La vallée de la Loire est la région viticole la plus étalée de France. Elle part de Nantes et s'étend jusqu'à Orléans et Bourges. On y boit du blanc, du rosé, du rouge, du moelleux, du liquoreux et de l'effervescent. On peut distinguer quatre grandes zones : le pays nantais, l'Anjou et Saumurois, la Touraine, le Centre-Loire.

Ses noms ?

Taille oblige, les appellations sont nombreuses, mais pas hiérarchisées. En partant de la façade atlantique, on trouve parmi les principales : muscadet, muscadet-sèvre-et-maine, anjou, savennières, coteaux-du-layon, quarts-de-chaume, bonnezeaux, saumur-champigny, saumur, chinon, saint-nicolas-de-bourgueil, bourgueil, coteaux-du-vendômois, jasnières, vouvray, montlouis, touraine, valençay, cheverny, court-cheverny, quincy, reuilly, menetou-salon, sancerre, coteau-du-giennois, pouilly-fumé, saint-pourçain (aux sources de la Loire, en Auvergne).

Les différences ?

Elles sont énormes. Chaque région a ses cépages : pays nantais = royaume du muscadet (cépage nommé melon de Bourgogne). Anjou, Saumur et Touraine : on cultive du chenin blanc, du sauvignon (en Touraine) et du cabernet franc. Complètement à l'est, en Centre-Loire : le sauvignon et le pinot noir triomphent.

Le muscadet se boit très jeune, il est très sec et possède peu d'arômes. Le sauvignon se garde quelques années et ses arômes sont très expressifs. En rouge, les cabernets francs et pinots noirs se gardent entre deux et dix ans, ils présentent beaucoup de fraîcheur ainsi qu'une magnifique richesse de framboise et de fraise. Et il y a aussi du gamay simple et léger. Les meilleurs blancs proviennent du chenin. Surtout en doux, ils se conservent plusieurs décennies et leurs arômes, très complexes, évoquent les fleurs blanches, le miel, le coing.

Le rapport qualité-prix ?

Le rapport qualité-prix des vins de Loire est tout simplement excellent, surtout pour les vins à base de chenin blanc qui sont, pour le plus grand bonheur de notre porte-monnaie, injustement méconnus et parfois grandioses. Les effervescents peuvent se parer d'élégance et de finesse, tout en restant financièrement une bonne affaire. Bonne affaire également, les rouges qui enchantent les tables parisiennes. Quant aux muscadets, ils s'affichent à un prix très correct et, pour quelques euros de plus, gagnent en intérêt. En revanche, les rosés d'Anjou n'ont pas beaucoup de valeur gustative, les sancerres et pouilly-fumé sont assez chers alors que Menetou-Salon, par exemple, produit des sauvignons tout aussi séduisants mais plus abordables.

Le Rhône

Son look ?

S'étendant de Vienne à Nîmes, le vignoble des Côtes-du-Rhône est constitué de deux régions principales : le Rhône septentrional, jusqu'à Valence, et le Rhône méridional. Au nord, les rouges sont exclusivement produits à partir de syrah et les blancs sont principalement faits de viognier, mais on trouve aussi de la marsanne et de la roussanne. Au sud, le nombre de cépages est beaucoup plus élevé : la syrah se mêle de grenache, mais aussi de mourvèdre, de carignan, de cinsault, de muscardin, vaccarèse et autres. À Châteauneuf-du-Pape, treize cépages sont autorisés lors de l'assemblage. Pour les blancs, on retrouve viognier, marsanne et roussanne mais aussi bourboulenc, clairette, picpoul blanc, grenache blanc, entre autres.

En plus des vins blancs, rosés et rouges, on trouve dans le Rhône des vins mutés avec du muscat pour les vins doux naturels blancs (muscat de Beaumes-de-Venise) du grenache pour les rouges (rasteau). Enfin il existe un mousseux élaboré à partir de muscat et de clairette : la clairette-de-die.

Ses noms ?

Les appellations de la région ne sont pas très nombreuses. La plus répandue, l'AOC côtes-du-rhône, peut s'accompagner de la mention d'une quinzaine de communes, comme le côtes-du-rhône-village-cairanne. Pour le reste, les principales appellations du nord au sud se nomment : côte-rôtie, château-grillet, condrieu, saint-joseph, crozes-hermitage, hermitage, cornas, saint-péray. Puis, au sud de Montélimar : coteau-du-triscastin, côtes-du-vivarais, côtes-du-rhône-villages, rasteau, gigondas, vacqueyras, beaumes-de-venise, lirac, tavel, châteauneuf-du-pape, côtes-du-ventoux, côtes-du-lubéron et costières-de-nîmes.

Les différences ?

Elles ne sont pas flagrantes. La syrah du nord des Côtes-du-Rhône produit des vins puissants, racés aux arômes de poivre et de cassis. Au sud, le vin est tout aussi puissant, parfois même plus, mais plus ample également, plus généreux, épicé et fruité, grâce au mariage avec le débonnaire grenache. Dans les deux camps, il existe des vins extrêmement réputés, côte-rôtie et hermitage d'un côté, châteauneuf-du-pape de l'autre. Quant aux blancs, ceux du nord sont parfois exceptionnels : le condrieu et le château-grillet sont parmi les plus aromatiques du monde, le viognier explose en fleurs, crème et abricot. Les vins blancs du sud sont de qualité plus variable. Ils peuvent exprimer de charmants arômes de cire d'abeille, de camomille, de tilleul, de fenouil et de fines herbes. Mais si le soleil leur tape trop fort sur la tête, ils deviennent lourds, alcooleux et pâteux, voire écœu-rants. Cela est également valable pour les rouges et les rosés de Tavel, qui peuvent être savoureux quand ils ne sont pas trop écrasants.

Le rapport qualité-prix ?

Au nord de Valence, les vins sont plutôt chers. Seuls les crozes-hermitage et quelques saint-joseph sont abordables. Parmi les côtes-du-rhône méridionaux, il y a en revanche de bonnes affaires, d'autant que la qualité a beaucoup augmenté au cours de trois dernières décennies.

C'est fort ?

Plutôt oui. Il n'est pas rare de voir un degré d'alcool de 15°, voire 15,5° sur certaines étiquettes (surtout au sud, comme vous vous en doutez). En bouche, les vins sont puissants mais les tanins sont souvent enveloppés par le gras du vin, ce qui les rend très faciles à boire. Certaines syrahs du nord se montrent néanmoins austères avec des tanins serrés, surtout dans leur jeunesse.

Le Languedoc-Roussillon

Son look ?

Tout simplement la première région viticole française, tant en volume qu'en surface de vignes. La production de vin du Languedoc-Roussillon représente en effet 40 % du total national. Il faut dire que depuis Nîmes (où les vins du Languedoc touchent ceux des Côtes-du-Rhône) à la frontière espagnole, il y a des vignes partout, qui donnent du blanc, du rouge, du rosé, du sec et du doux. Mais quantité n'est pas synonyme de qualité. Sur ce point, le mot d'ordre de la région est : en avant ! Depuis trente ans, le Languedoc-Roussillon affiche clairement sa volonté de passer du gros rouge qui tache à des vins pleins de charme et de caractère. Et ça marche. Les blancs de Limoux, les rouges des Corbières et de Pic-Saint-Loup ou les nombreux vins doux naturels bombent le torse face à leur popularité de plus en plus croissante.

Lifting oblige, le cépage classique du Languedoc-Roussillon, le rude carignan, a été rejoint par les cépages de la vallée du Rhône, syrah, grenache, cinsault, mourvèdre. Ne soyez donc pas étonné si vous trouvez des points communs à ces vins. En blanc, on a également un éventail de cépages venus de tous horizons pour policer les raisins locaux : clairette, grenache blanc, bourboulenc, picpoul, marsanne, roussanne, macabeu, mauzac à Limoux et le très sage chardonnay, de plus en plus présent (et remarquable).

Niveau géographie, l'appellation languedoc couvre le nord de la région, entre Nîmes et Béziers. Au sud de cette ville, ce sont des appellations plus différenciées puis les côtes-du-roussillon. Les vins doux naturels se sont développés au nord en blanc, avec les différents muscats et au sud en rouge.

Ses noms ?

L'appellation languedoc ou coteaux-du-languedoc est la plus répandue de la région. Elle est parfois complétée, sur l'étiquette, par la mention de dix-sept dénominations géographiques comme La Clape, Pic-Saint-Loup, Picpoul de Pinet, Terrasses-du-Larzac. La plupart d'entre elles se situent entre Montpellier et Béziers, tout comme les appellations de vins doux naturels blancs : muscat-de-lunel, muscat-de-mireval, muscat-de-frontignan.

Autour de Béziers, du nord au sud, se situent : faugères, saint-chinian, minervois, puis corbières au sud de Narbonne, et encore au sud, fitou. À l'ouest des corbières, il y a les vins de Limoux.

Au sud du Fitou s'étalent les côtes-du-roussillon et côtes-du-roussillon-villages. Ils sont encadrés par les vins doux naturels : muscat de rivesaltes, maury. Banyuls et collioure en rouge ferment la marche le long de la frontière espagnole.

Les différences ?

Elles ne sautent ni au nez, ni à la bouche. Ce sont plutôt de discrètes variations et, surtout, c'est le travail du vigneron qui fait toute la différence. Tout juste les saint-chinian, faugères et minervois se font-ils plus tendres et moins robustes que les corbières, les languedocs et les côtes-du-roussillon. À Pic-Saint-Loup, la syrah met l'accent sur le poivre et la violette tout en finesse. D'autres vins produits plus profondément dans les terres et en altitude sont plus frais et délicats. Les autres partagent un caractère imposant, marqué par l'environnement de la vigne ; de nombreuses herbes aromatiques aux accents méditerranéens s'échappent du verre : thym, laurier, romarin, parfums de garrigue. Elles sont rejointes avec l'âge par une palette de cuir, de cacao et de fruits noirs.

La région est particulièrement réputée pour ses vins doux naturels, très différents selon qu'ils sont réalisés en rouge ou en blanc. Les muscats offrent un puissant nez d'agrumes, de vanille et d'abricot sec, d'acacia et de miel, avec une bouche qui combine grâce et longueur. Les rivesaltes rouges et plus encore les maurys et banyuls se révèlent d'une puissance et d'une complexité stupéfiantes. Cacao, chocolat, café, réglisse, figue, fruits confits, amandes et noix se bousculent avec onctuosité, permettant à ces vins doux naturels de se mesurer sans rougir aux grands portos.

Le rapport qualité-prix ?

Il est excellent, c'est l'une des régions qui s'est le plus envolée ces dernières années, en termes de qualité. Le prix, lui, grimpe beaucoup plus doucement, mis à part pour certaines stars qui ont tiré les appellations vers le haut et dont les prix ont explosé. La région reste le coin des bonnes affaires… à condition de dénicher le vigneron talentueux.

Le Sud-Ouest

Son look ?

Le vignoble du sud-ouest de la France s'éparpille dans une ribambelle de petites zones viticoles, depuis Bordeaux jusqu'au Pays basque en passant par Aurillac et Albi. Si les vins ont en commun une puissance chaleureuse, un caractère rude et attachant, les cépages qui les composent sont très variés et reflètent un territoire diversifié. Le Bergerac et le Marmandais, proches de la capitale girondine, utilisent les cépages du Bordelais : cabernet-sauvignon et merlot. À Cahors, c'est le malbec le roi. Et tandis que Fronton met un cépage local à l'honneur, la négrette, c'est un autre cépage autochtone qui fait la renommée du Madiran, le tannat. Du côté des blancs, là aussi, le paysage est hétérogène, depuis le duo classique sauvignon-sémillon au couple baroque petit et gros manseng, en passant par le courbu, l'arrufiac, la muscadelle et l'exigeant mauzac.

Ses noms ?

Le Bergeracois regroupe les AOC bergerac, pécharmant, montravel et le fameux liquoreux monbazillac. Juste en dessous, on retrouve le côtes-du-duras et le côtes-du-marmandais. Si vous vous éloignez vers l'est, près d'Agen, laissez-vous tenter par le buzet et le côtes-du-brulhois puis le fronton sous Montauban. Au nord de la ville, on découvre le coteaux-du-quercy et le cahors, à l'est, le gaillac. Plus au sud, entre Pau et Mont-de-Marsan, le madiran en rouge et le pacherenc-du-vic-bilh en blanc font leur show. Enfin, le pied des Pyrénées abrite le vin du Béarn avec les blancs secs et les beaux liquoreux du Jurançon ainsi qu'en plein Pays basque, à la frontière espagnole, l'irouléguy.

Les différences ?

Cette mosaïque de terroirs se reflète évidemment dans le verre. Près de Bordeaux, les vins ressemblent… à des bordeaux, avec un peu plus de bonhomie. Plus on s'enfonce dans les terres, plus le vin prend du muscle, de la charpente, des épices au nez, de la matière en bouche. Pour les vins rouges, les arômes oscillent des fruits rouges aux fruits noirs : framboise, cerise, mûre, myrtille, cassis, figue, auxquels s'associent la réglisse, la menthe. Mais aussi, à Cahors : le cacao et toute une gamme de chocolats, noir, au lait, praliné. Pour les irouléguys : des fleurs sauvages et les parfums de la forêt ; pour les côtes-du-frontonnais, la violette.

Tandis que les frontons ou le gaillacs s'apprécient plutôt jeunes, il faut des années au madiran et au cahors pour patiner des tanins extrêmement solides et vigoureux. Ce qui fait d'eux d'admirables vins de garde.

Quant aux vins blancs, leur richesse aromatique est étonnante, surtout pour les liquoreux. Selon le cépage et le taux de sucre, ils débordent d'herbes de Provence, tilleul, camomille, branche de céleri, fenouil, anis, fleurs séchées, citron, ananas, pêche blanche, poire, fruits exotiques, coing et miel.

Le rapport qualité-prix ?

Indéniablement, la qualité des vins de la région augmente plus rapidement que leur prix et il y a des très bonnes affaires à réaliser. Les blancs liquoreux sont particulièrement attirants : le monbazillac reprend de la superbe, le jurançon continue son ascension et le pacherenc-du-vic-bilh, encore ignoré malgré sa complexité et sa délicatesse, est vraiment bon marché. Les blancs secs ne coûtent généralement pas très cher. Attention toutefois pour les rouges : le prix de certains madirans, comme les châteaux Montus et Bouscassé d'Alain Brumont, ont explosé ; d'autres madirans comme la cave de Crouseilles ou le château de Viella sont beaucoup plus abordables.

La Champagne

Son look ?

Contrairement aux idées reçues, ce n'est pas l'Alsace mais bien la Champagne qui cultive les vignes les plus septentrionales de France. Trois cépages sont utilisés pour le champagne : le chardonnay, le pinot noir et le pinot meunier. Quand un champagne est élaboré uniquement à partir de chardonnay, on dit qu'il s'agit d'un blanc de blancs. Entendez par là, un champagne blanc produit avec des raisins blancs. Pour un champagne issu de pinot noir et pinot meunier, on parle de blanc de noirs : vin blanc issu de raisins noirs (la peau colorante du raisin ne macère pas avec le jus). En revanche, le champagne rosé est coloré : soit par macération soit, plus fréquemment, par l'ajout de vin rouge pour doser la coloration.

Quant au vignoble, il est assez regroupé, bien qu'on puisse distinguer quatre zones. Aux alentours de Reims se produisent les champagnes de la montagne de Reims. Juste en dessous, entre Épernay et Château-Thierry s'étend la vallée de la Marne. Plus au sud se trouve la côte des Blancs et près de Troyes, dans l'Aube, c'est la côte de Bar.

Comme son nom l'indique, la côte des Blancs est plutôt orientée chardonnay, tandis que le pinot meunier se plaît dans la vallée de la Marne et la côte de Bar. Le pinot noir, lui, préfère la montagne de Reims.

Ses noms ?

Il n'existe guère d'appellations en dehors du champagne, tout juste les coteaux-champenois et un rosé sans bulles, plutôt rare. En revanche, il y a une hiérarchie : champagne, champagne premier cru, champagne grand cru. Les premiers et grands crus sont définis par la qualité du raisin récolté sur les communes.

Les différences ?

Il y a beaucoup de subtilités mais peu de différences flagrantes. Les blancs de noirs et les rosés sont plus vineux (avec les arômes et la rondeur des vins), plus puissants que les blancs de blancs. C'est pourquoi on boit ces derniers en apéritif ou sur des plats très légers qui ne masqueront pas la finesse du chardonnay, tandis que l'on préfère dîner avec les premiers. De plus, les sols des quatre zones de production influencent le goût : très crayeux, le vin gagne en finesse et en minéralité, argileux, il sera ample et gras.

Le champagne n'est généralement pas millésimé : il naît d'un assemblage de cépages et de millésimes passés, cela afin d'assurer une qualité et un style constants. Quand la récolte est vraiment belle, certains champagnes sont millésimés, entièrement façonnés à partir de vins de l'année. Ils ont alors une personnalité différente, plus affirmée et un très bon potentiel de garde, de plusieurs décennies parfois.

Néanmoins, la liqueur d'expédition confère des profils et des accords culinaires radicalement différents. En effet, elle contient plus ou moins de sucre. Selon la dose (la quantité de sucre dans la bouteille varie de 0 à plus de 50 g/l), on obtient des champagnes : nature ou non dosé (s'il n'y en a pas), extra-brut, brut, extra-dry, sec, demi-sec, sec ou doux. Ces derniers sont peu vendus en France, les marchés étrangers en sont davantage friands. C'est dommage car, si les champagnes extra-bruts ont les faveurs des Français pour leur caractère pur et désaltérant, les bons champagnes demi-secs présentent une belle alternative aux liquoreux pour les desserts.

Dans tous les cas, un bon champagne n'est pas franchement fruité. À part les rosés qui peuvent avoir des arômes de fraise, les champagnes classiques oscillent plutôt entre le biscuit, le pain beurré, le toast et la noisette.

Le rapport qualité-prix ?

Le champagne, c'est plutôt cher. Les grandes marques, c'est-à-dire les champagnes les plus connus, présentent, à défaut d'être bon marché, une fiabilité rarement décevante. Mais il existe de plus en plus de champagnes de vignerons, produits en petites quantités et qui peuvent s'avérer être une très bonne affaire. Il faut tester !

L'Alsace

Son look ?

Les envoûtants blancs d'Alsace naissent le long d'un mince ruban de vignes, moins de 10 km de large, qui s'étend depuis le nord de Strasbourg jusqu'à Mulhouse. Le vignoble alsacien est à la fois simple et compliqué. Simple parce qu'on nomme un vin alsacien avant tout par son cépage : riesling, pinot gris, sylvaner… ce qui contraste avec les autres régions françaises, plus axées terroirs. Compliqué car, si l'on souhaite creuser au-delà, il faut apprendre la géographie, le nom des grands crus et celui des producteurs. Il n'y a pas d'entre-deux. Cette région détonne dans le paysage viticole de l'Hexagone : les cépages alsaciens ne sont cultivés nulle part ailleurs dans le pays. Les blancs, secs comme doux, sont parmi les plus fascinants au monde tandis que les rouges ont un intérêt plus que relatif. D'ailleurs, ils ne représentent que 10 % de la production régionale. Enfin, le crémant d'Alsace, sans être exceptionnel, est assez réjouissant.

Ses noms ?

Les appellations alsaciennes sont sommaires : alsace, alsace grand cru, crémant. La hiérarchie l'est tout autant : grand cru… ou non ! Les grands crus se rattachent à cinquante et un lieux-dits et ne concernent que quatre cépages, dits « nobles » : riesling, gewurztraminer, pinot gris et muscat. Les autres cépages cultivés en Alsace sont : le sylvaner, le pinot blanc, le pinot noir, le pinot auxerrois et le klevener de Heiligenstein. Il n'y a pas d'assemblage en Alsace, sauf pour l'edelzwicker, vin de soif. Quoi qu'il en soit, les cépages figurent toujours en gros sur l'étiquette, puisque c'est la seule manière de différencier les bouteilles, nom du domaine mis à part. Ces vins ont des profils si variés qu'il serait en effet ballot de les confondre à l'achat.

Quant aux vins sucrés, ils affichent en plus la mention : vendanges tardives. Ou, si le raisin est cueilli encore plus tard avec un taux de sucre plus important : sélection de grains nobles.

Les différences ?

Les vins alsaciens présentent des profils aromatiques très divers mais toujours riches et épicés. Si bien qu'en les goûtant, on peut avoir la sensation de débouler sur un marché de Noël tout en lumières, en odeurs et en musiques, oasis dans la nuit hivernale. Les cépages sont très différents mais le sol et le savoir-faire du producteur brouillent les pistes : les vins qui en découlent surprennent et étalent une palette minérale et exotique inattendue. Le pinot blanc reste un vin simple mais bon compagnon des plats sans chichis. Le sylvaner, qui lui ressemble un peu, s'enveloppe avec classe de notes citronnées, de bergamote, de cardamome parfois.

Les cépages nobles se parent de davantage de puissance et d'exubérance. Le muscat, qui reste assez confidentiel, produit l'un des seuls vins de la planète à pouvoir exprimer à ce point la sensation de croquer un grain de raisin cueilli dans la minute. Aérien, fringant, il fait merveille lors de l'apéritif ou avec des asperges. Le pinot gris est beaucoup plus chaleureux : il dévoile des notes fumées, de sous-bois et de miel. Le gewurztraminer est plus sensuel encore. Cannelle, muscade… ce n'est pas par hasard qu'il emprunte son nom au mot allemand *Gewürz* : épice. Aux épices se mêlent de l'ananas mais surtout des odeurs très identifiables dans le monde du vin : la rose et le litchi. Élaboré en vendanges tardives, il lui arrive de posséder une longueur et une puissance à couper le souffle. Quant au riesling, il est le plus droit, le plus imperturbable, le plus seigneurial du lot. Ses vins sont à la fois élégants, racés et puissants. On perçoit du citron, de la citronnelle, d'autres agrumes piquants, mais ce n'est pas ce qui le caractérise le plus. Selon son sol de naissance, il émane de son corps des odeurs minérales de silex, de pierre à fusil voire, pour les plus grands, de pétrole. Un arôme étonnant et recherché.

Le rapport qualité-prix ?

Les vins d'Alsace ne sont jamais les moins chers sur une carte de restaurant. Mais leur qualité est de plus en plus fiable et leurs accords avec des plats sont des plus séduisants, d'où un rapport qualité-prix attractif. Surtout, peu de vins comme les gewurztraminer et pinot gris peuvent se targuer de pouvoir épouser si facilement la cuisine asiatique, une alliance à ne jamais négliger.

La Provence

Son look ?

La Provence : les bleus de son ciel et de sa mer, ses cigales, sa lavande, ses oliviers… et son vin. Aucune autre région viticole n'évoque autant les vacances. Et, soyons francs, les viticulteurs peinent à tordre le cou à leur réputation de producteurs des petits rosés de l'été. Plus des trois quarts du vignoble provençal sont en effet consacrés au rosé. Et cette couleur, de plus en plus à la mode, devrait continuer de gagner du terrain. C'est bien dommage : même si certains rosés, qui s'habillent de teintes de pétales de rose, de saumon voire de framboise, ne manquent pas de qualités, ils font de l'ombre à des blancs cristallins, ciselés, et des rouges complexes au potentiel de garde étonnant. Ainsi, le vignoble s'étend d'Arles à Nice, écrasé par les côtes-de-provence et coteaux-d'aix-en-provence où les blancs de Bellet et de Cassis ainsi que les rouges de Bandol ont du mal à se faire une place.

Ses noms ?

Autour de Saint-Rémy-de-Provence, à l'ouest de la région : les baux-de-provence. Puis, jusqu'à Aix, les bien nommés coteaux-d'aix-en-provence. Entre Aix et Marseille : la minuscule appellation palette et les côtes-de-provence-sainte-victoire. De Marseille à Toulon, au bord de la mer : cassis et bandol, puis s'étendant largement dans les terres jusqu'à Draguignan, les coteaux-varois et les côtes-de-provence. Enfin, toute petite AOC perdue dans les hauteurs de Nice : bellet.

Les différences ?

La Provence cultive une douzaine de cépages. Les principaux, utilisés pour le rosé, sont le grenache et la syrah. À l'arrivée, ils créent des « bombes fruitées » de fraises, framboises, bonbons anglais. Les meilleurs rosés mêlent également des herbes sauvages et des fleurs, ajoutant de la finesse à l'ensemble. Les blancs se distinguent des autres vins français avec le cépage rolle et au nez, une touche de fenouil assez marquée, enrobée de tilleul, d'acacia, de garrigue. Les élégants vins rouges des Baux-de-Provence ont une particularité unique dans l'Hexagone : quasiment tous les viticulteurs travaillent en bio ou en biodynamie. Leurs vins sont puissants et épicés et ont besoin de quelques années pour se patiner, les arômes de gibiers se mêlant alors à ceux de thym et de tabac. Quant aux rouges de Bandol (surtout élaborés à base de mourvèdre), ils sont indéniablement les meilleurs vins de la région. Ces seigneurs sont capables, après dix ans d'âge (nécessaire vieillissement du fait de leur force tannique), de dérouler des arômes de truffe, de sous-bois, de musc et de cannelle, de réglisse.

Le rapport qualité-prix ?

Le prix des vins de Provence est tout à fait raisonnable, les trois couleurs sont capables d'offrir du plaisir à petit prix. Pour des vins de garde et de gastronomie, les beaux-de-provence et les bandols sont particulièrement attractifs même si l'intérêt des touristes et des connaisseurs de vins fait monter les tarifs des bouteilles. Ainsi, le domaine de Pibarnon et surtout le château de Trévallon (attention, vendu en vin de pays !) vendent leurs vins respectivement à plus de 25 et 40 € !

Les petites AOC
et nouvelles régions

Il existe bien d'autres régions viticoles françaises qui méritent toute l'attention des amateurs de vins. Certaines régions font d'ailleurs preuve d'un joli dynamisme, les coups de cœur ne sont pas rares. Ainsi, il serait vraiment dommage de passer à côté des blancs du Jura. Ils sont composés de chardonnay et de savagnin, assemblés ou en monocépage, soit ouillés, soit élevés en milieu oxydatif (où ils développent les fameux arômes de noix et de curry). En tous cas, ils ont un sacré caractère doublé d'un style inimitable. Dans ce vin chaud et sec à la fois, la délicatesse des fleurs dompte la vigueur des épices (muscade, cumin, cannelle, curry…). Un vin oriental qui n'est pas sans rappeler le sirocco du Sahara et qui suscite un engouement de plus en plus vif. L'arbois rouge, né des cépages locaux poulsard ou trousseau, est un vin aux arômes de fruits rouges et à la personnalité farouche.

Pas très loin de là, la Savoie offre de belles découvertes. Les blancs sont surtout connus pour accompagner les fondues savoyardes, mais il ne faudrait pas négliger le potentiel de certains chignin-bergeron. Les rouges et particulièrement ceux à base de mondeuse méritent d'être testés. Ils ont un caractère sauvage de baies, de poivre blanc, de violette et d'humus, et il ne faut pas hésiter à les laisser grandir quelques années avant de les déboucher.

Entre Jura, Savoie et Bourgogne se dresse la curieuse appellation Bugey, carrefour des cultures puisqu'elle crée des vins effervescents, blancs, rosés rouges. À titre d'exemple, les rouges sont élaborés avec la mondeuse, le pinot noir, le gamay et surtout le poulsard jurassien. Ce sont des vins qui ont de la matière et de la carrure.

Beaucoup plus délicats et absolument dignes d'intérêt : les blancs de Corse. Qu'il s'agisse des muscats secs du cap Corse ou du vermentino (cépage rolle en Provence), ce sont des délices aromatiques mêlant fraîcheur des herbes sauvages du maquis et finesse des fleurs. Les rouges de l'appellation patrimonio ne sont pas en reste.

D'autres petits vins pointent enfin leur tête : les blancs de Moselle et du Toulois, les Côtes rhodaniennes, les vins d'Auvergne, à tester par curiosité, avec de bonnes surprises parfois. Sans oublier les quelque 150 autres vins de pays qui émaillent tout le territoire français.

Chapitre 5

Les autres pays : ancien et nouveau monde

Vous pensez que le vin n'est bon qu'en France ? Quelle lourde, épouvantable, regrettable erreur. Nous n'avons pas l'apanage de la culture de la vigne ; nos voisins partagent cette tradition ancestrale depuis aussi longtemps que nous. D'autres pays la pratiquent depuis des temps plus récents, mais avec autant de succès. Faisons donc un petit tour des incontournables.

L'Europe

L'Italie

D'année en année, l'Italie chipe aux Français la place du premier pays producteur de vin. Et conserve la tête des pays exportateurs. Oubliez certains épouvantables chiantis de la pizzéria de quartier, nos amis latins ont bien plus à nous proposer : exubérance, finesse, douceur, amabilité et séduction sont quelques adjectifs qu'on colle volontiers sur leurs étiquettes. Mais la réalité est plus subtile. On peut découper le vignoble italien en quatre grandes zones.

• Le nord-ouest autour de Milan, avec la Lombardie, le val d'Aoste et le Piémont : c'est la région des gros costauds. Les barolo, nebbiolo et barbaresco sont des mastodontes mondiaux, ils dégagent une force tannique et aromatique (cuir, tabac, goudron, pruneau, rose) ébouriffante. Réfractaires aux tanins s'abstenir, à moins de choisir des millésimes âgés d'au moins quinze ans. Seuls le barbera est gouleyant ; il est par ailleurs moins ruineux que les autres.

• Le nord-est près de Venise, avec la Vénétie, le Frioul et le Trentin : une région de blancs aériens, élégants, presque évanescents. Idéals pour l'apéritif ou en accompagnement de plats légers. D'ailleurs, le prosecco est aussi vif et frais qu'un champagne. Même les rouges, les célèbres valpolicella, sont très légers.

• Le centre de l'Italie, de Florence à Naples, qui compte entre autres la Toscane (première région viticole du pays), les

Marches et les Abruzzes : le cépage roi de la Toscane est le sangiovese, tandis que le montepulciano s'épanouit sur les deux autres territoires. Du sangiovese naîssent de fameux chiantis, dont la qualité ne cesse de s'améliorer. Joyeux compagnon des plats à base de tomate (il peut d'ailleurs sentir la feuille de tomate), il développe des arômes très gourmands de cerise. Mais en qualité, il est surpassé par le brunello di montalcino, tout aussi fruité mais plus charpenté, et par le vino nobile de montepulciano. Attention, les « super toscans » atteignent des prix vertigineux.

• Le sud du pays avec les Pouilles, la Campanie, la Calabre mais aussi la Sicile et la Sardaigne. La région regorge de cépages locaux d'une diversité prodigieuse, depuis le primitivo poivré à l'aglianico aux senteurs d'amande, en passant par le negroamaro et le nero d'avola. Du côté des blancs, on trouve également des vins fascinants, secs et sucrés, sans oublier le marsala. En plus, ces vins ne sont pas très chers.

L'Espagne et le Portugal

Voilà deux pays qui n'ont rien à envier à la France.

L'Espagne. Elle complète le trio de tête des plus gros producteurs mondiaux. Pour faire simple, on peut découper le pays en trois régions viticoles.

• Le nord-est, avec le Penedès et le Priorat autour de Barcelone et, plus dans les terres, à 100 km au sud de Bilbao, la Navarre et la Rioja. Cette dernière, où poussent le tempranillo et le grenache, propose des vins emblématiques de l'Espagne, assez abordables, fruités et vanillés, vieillis longtemps en fût. Ils gagnent en finesse avec le temps. Ceux de Navarre sont plus gouleyants, tandis que Penedès se spécialise dans le cava, un effervescent bon marché de plus en plus soigné. La renommée des suprêmes vins rouges du Priorat a explosé, tout comme leur prix.

• Le nord-ouest du pays, le long du fleuve Duero, rassemble la Rueda, avec ses excellents vins blancs, Cigales, plus connu pour ses rosés, Toro et l'inoubliable Ribera del Duero. Les vins de cette dernière zone sont parmi les plus recherchés du pays, par leur structure, leur noirceur et leur profondeur, mais ils sont désormais terriblement chers. Les vins de Toro, quoique moins complexes, constituent une alternative intéressante.

• Au sud de Madrid, les vignobles de la Mancha et de Valdepeñas produisent des vins honnêtes, simples, fruités et accessibles dans toutes les couleurs, ceux de Manchuela sont plus aboutis et plus chers. Tout au sud du pays, il y a Jerez et ses fantastiques xérès. Contrairement à nos habitudes de vins doux, les xérès les plus ensorcelants sont secs… et pas chers.

Le Portugal. Il produit sans conteste possible le meilleur vin doux muté au monde, capable de vieillir et de se bonifier pendant des décennies : le porto. Non content de cela, le pays a également inventé le madère (qui contrairement au porto, est chauffé) et commercialise des vins blancs et rouges qui valent sacrément le détour. Difficile à trouver en France, le vinho verde est en fait un vin blanc très jeune, mordant, à la fraîcheur salvatrice en été. Les vins rouges de la rive du Douro (nom portugais du Duero espagnol) sont, comme de l'autre côté de la frontière, de solides gaillards de fruits et d'épices. Pour un vrai voyage sensoriel, goûtez un vin élaboré à partir du touriga nacional, le cépage du porto : vous voilà transporté en pleine pinède, on entendrait presque les aiguilles de pin craquer sous les semelles.

L'Allemagne, l'Autriche et la Suisse

L'Allemagne. Si vous aimez les soirées au coin du feu en plein hiver, vous devriez essayer les vins allemands. Ils sont doux et épicés, réconfortants, et ils peuvent braver les intempéries de nombreux hivers. Les Français ne le savent pas, mais les grands vins allemands sont parmi les plus endurants des vins blancs de la planète, avec une longévité de plusieurs décennies. Grâce à leur très forte acidité, notamment. Comme ils ont en plus un taux d'alcool relativement faible, ils possèdent toujours un peu de sucrosité pour l'équilibre. Et pour notre plaisir. Enfin, c'est le cas pour les bons vins blancs allemands. Car malheureusement, le pire côtoie le meilleur. Pour ne pas se tromper, il y a une règle très simple : le riesling. Cet empereur germain est trop exigeant pour être bâclé, ses rendements sont trop faibles pour qu'on le cultive à destination de vins industriels. Bien bichonné, il reflète parfaitement son terroir d'origine et a la carrure d'un Viking. Il livre en plus d'arômes de citron frais ou confit, de citronnelle, de fumée, une fine minéralité, que certains dégustateurs qualifient aussi d'hydrocarbure, un mélange de pétrole et de caillou. Cela dit, le caractère de ces vins varie selon que le vignoble pousse sur les rives de la Moselle, dans le Rheingau, la Hesse rhénane ou le Palatinat. Les meilleurs des rieslings sont liquoreux, mais le taux de sucre peut énormément varier. Mieux vaut savoir à quel point votre vin est sucré avant de le déboucher avec une dinde. C'est pourquoi les Allemands ont établi une classification des vins selon le degré de maturité des grains de raisin (les vins les moins sucrés sont les Kabinett et les Trocken).

L'Autriche. Comme l'Allemagne, l'Autriche produit de magnifiques blancs moelleux ou liquoreux. Toutefois, elle aime aussi donner naissance à des blancs secs et à des rouges fruités.

La Suisse. La production de la Suisse est confidentielle, puisqu'elle est presque entièrement absorbée par la consommation locale. Néanmoins ses vins sont intéressants, au carrefour des cultures française, italienne et allemande. Notamment le chasselas en blanc. En rouge, on peut goûter du pinot noir et du gamay ainsi que ses cousins locaux : le gamaret et le garanoir. Dommage que le rapport qualité-prix ne soit pas au rendez-vous.

La Grèce

À l'autre bout de la Méditerranée, le vin grec séduit. D'abord parce que ses cépages, qui ne poussent que là-bas, nous sont totalement inconnus mais aussi parce que les vins, même doux, ont la sécheresse du vent. Certains blancs, notamment, jaillissent des roches volcaniques avec une pureté unique.

Mais aussi : Liban, Afrique du Sud

Vous avez demandé une autre tradition millénaire de la vigne ? Voici le Liban. Il fait du vin depuis l'époque des Phéniciens, soit 3 000 ans. Puis les Romains ont consolidé l'histoire, ils ont construit un temple dédié à Bacchus dans la vallée de la Bekaa, où se concentrent aujourd'hui les exploitations vinicoles. Elles ne sont pas très nombreuses, mais si vous passez par là-bas, une visite aux châteaux Ksara, Kefraya et le grand Musar s'imposent, afin de goûter les vins épicés et chocolatés du pays. À moins que vous ne préfériez découvrir les bouteilles qui montent, comme celles du domaine Wardy.

L'Afrique du Sud produit des vins très divers avec une qualité tout aussi variable. Le cépage dominant en rouge est le cabernet-sauvignon, qui donne aux vins un look bordelais. Et la syrah cavale derrière. Dommage, cela laisse peu de place au raisin local, le très original pinotage, à tester quand c'est possible. Choix plus surprenant et plus engagé, le chenin occupe le devant du podium des cépages blancs, et avec quelle classe ! Ainsi les rouges sont parfois très bons et certains blancs excellents. Les meilleurs sont en tout cas cultivés autour du Cap, à l'extrême sud-ouest du pays, et profitent ainsi de la fraîcheur maritime. Le klein constantia est célébrissime depuis le XVIIIe siècle.

Le Nouveau Monde : États-Unis, Amérique du Sud et Australie

Un vin joyeusement fruité, vanillé, boisé, crémeux et surtout facile à boire, voilà à quoi ressemblent les vins du Nouveau Monde. Leurs détracteurs, puristes du terroir, leur reprochent d'afficher un caractère trop putassier, entièrement façonné pour charmer le client et finalement de manquer de personnalité et de complexité. C'est parfois vrai. Pourtant, ils plaisent beaucoup à des consommateurs lassés de bordeaux impossibles à boire jeunes, compliqués à boire vieux, à la qualité inégale. Le marché est donc très porteur, d'autant que les néoconsommateurs boivent de plus en plus sucré et que ces vins, en rouge comme en blanc, versent fréquemment dans la confiture. Néanmoins, nous aurions tort de railler cette production. Ces pays, qui se sont lancés dans la production de vin à la fin des années 1970, savent désormais créer de petites merveilles ciselées, dotées d'un caractère aux multiples facettes.

L'Amérique du Sud

En Amérique du Sud, les deux pays les plus emblématiques de la production vinicole moderne sont l'Argentine et le Chili, notamment parce que le rapport qualité-prix de leurs vins est rarement égalé. Il est d'ailleurs possible que le Chili soit la star vinicole de demain. Ce pays étiré comme un cordon possède des conditions climatiques formidables : le soleil tape fort, il fait chaud mais l'air est refroidi et asséché le jour par le vent glacial de l'océan, la nuit par la fraîcheur qui descend de la cordillère des Andes. De plus, le pays est traversé de cours d'eau nés dans les montagnes et qui filent vers le Pacifique, irriguant les vignes au passage. Les raisins appartiennent aux standards internationaux : cabernet-sauvignon, merlot, chardonnay sauf pour le local carménère. Ils poussent dans la vallée Centrale, au sud de Santiago, mais il existe de nombreuses sous-régions tout autour qui permettent une mosaïque de styles.

Le vent du large ne vient pas rafraîchir les vignes de l'Argentine. Mais les vallées de la cordillère les accueillent, leur offrant la vivacité de l'altitude tout en conservant un ensoleillement optimal. On y retrouve les mêmes cépages qu'au Chili mais comme la douceur océanique manque, les vins sont plus riches. Et le malbec s'épanouit davantage sur ces terres. La principale région de production est Mendoza, au centre du pays.

L'Australie

L'Australie est un cas à part. Elle montre ce que le travail des hommes et les prouesses techniques peuvent accomplir dans le domaine œnologique, à savoir surpasser toutes les difficultés du climat pour produire de grands vins. Alors que les pays européens mettent en avant le terroir, la qualité du sol, le microclimat d'une parcelle, l'Australie a développé une technologie de pointe (camions réfrigérés lors des vendanges, irrigations intensives, fermentation réfrigérée) et un travail titanesque pour créer des vins au style très affirmé sans faire de concessions sur la qualité. Ce labeur est payant, tant pour la renommée des crus que pour l'influence qu'il a exercée sur la production mondiale. Les vignes ont été implantées dans la zone la plus tempérée de l'île : la pointe sud-est, de Brisbane à Adélaïde, en passant par Sydney, Canberra, Melbourne. Mais même en cherchant les régions les plus fraîches, les vins australiens sont toujours mûrs, très mûrs. Loin de chercher à gommer cette caractéristique, les producteurs l'ont pleinement assumée et en ont fait une force. Aujourd'hui, leurs shiraz profonds et opulents sont reconnus dans le monde entier. Ne possédant pas de cépages autochtones, l'île cultive tous les cépages internationaux : cabernet sauvignon, chardonnay, riesling, pinot noir, muscat, sauvignon blanc. Mais c'est bien la syrah, appelée ici shiraz, qui règne en reine incontestée et fait naître les plus grandes bouteilles.

Notons par ailleurs les excellents sauvignons blancs de Nouvelle-Zélande, qui possèdent des accents exotiques (ananas, fruit de la passion, mangue) que n'ont pas les nôtres.

Le cas des États-Unis

Les États-Unis sont le berceau des « vins du Nouveau Monde ». Aujourd'hui, les plus grands vins californiens affichent sans complexe des prix proches de nos premiers crus bordelais. Et trouvent acheteurs ! C'est dire s'il est ridicule de mépriser cette production, dont la qualité n'est plus à mettre en doute.

Néanmoins leur style diffère du nôtre, indubitablement. Une sucrosité plus présente dans les vins rouges, un boisé plus marqué et plus crémeux dans les blancs, un fruité plus extraverti dans toutes les couleurs. Ce sont des vins qu'on qualifie de « modernes », terme que l'on entend d'ailleurs de plus en plus dans certains vignobles français, preuve de l'influence que les vins américains exercent sur le monde vinicole.

La Californie reste la plus spectaculaire région viticole américaine, mais d'autres États font des merveilles, comme dans l'Oregon, au nord de la Californie, où le vin possède davantage de fraîcheur et où le pinot noir peut dévoiler des trésors de délicatesse, un poil plus fruité-fraise que nos bourgognes (ce n'est pas par hasard que la bourguignonne maison Drouhin y a lancé un vignoble de renom). Attention, dans l'Oregon, les vins ne sont pas produits en masse et les prix y sont assez élevés. Plus au nord encore, autour de Seattle, l'État de Washington accueille des vignes dans la grande Columbia Valley. Elles ont besoin d'une irrigation solide car le climat y est sacrément sec mais le soleil est aussi présent qu'en Californie. D'ailleurs, les vignes y poussent si bien que l'État est le deuxième producteur des États-Unis. La Columbia Valley est moins jet-set que l'Oregon mais le vin y est meilleur marché et de bonne qualité, en riesling comme en sémillon, sauvignon, chardonnay, cabernet-sauvignon et surtout merlot. Sur la côte Est, incroyable mais vrai, on fait des vins à New York. Enfin, dans l'État de New York. Le volume de sa production talonne celui de l'État de Washington. On compte environ cent cinquante producteurs de vin… contre un millier de producteurs de jus de raisin. En effet, le raisin peine à mûrir, il faut souvent rajouter du sucre. Seuls le riesling et le chardonnay s'en sortent avec les honneurs. Notons que l'on trouve aussi du vin dans le Midwest (Ohio, Missouri et Michigan) et que le Texas se lance dans la course, avec comme slogan : *Wine, the next big thing from Texas* ! (« Le vin, bientôt un des trucs les plus importants du Texas ! »).

Mais revenons à la Californie, qui caracole en tête de la production américaine, en volume comme en qualité. La région la plus célèbre est évidemment la Napa Valley, où les exploitations sont si rodées à l'accueil des touristes et les circuits œnotouristiques si développés que les visites ne sont pas sans rappeler Dinseyland. Quoi qu'il en soit, les cabernets-sauvignons et les merlots sont des grands classiques. Et il faut absolument découvrir les vins du cépage local, par exemple le zinfandel, exubérant au possible. Juste à côté, au nord de San Francisco, la Sonoma Valley produit également d'excellents vins rouges et blancs, un peu plus veloutés encore. Leur réputation ne cesse de s'accroître, au point d'égaler maintenant celle de la Napa. Le long de la côte, entre San Francisco et Los Angeles, les vignobles s'égrènent à Monterrey, San Luis Obispo et Santa Barbara : plus modestes en taille, mais pas en qualité. On ne peut pas dire que les bouteilles sont bon marché, mais elles méritent certainement d'être goûtées.

Et demain ?
Chine, Inde, Angleterre...

Quelle tête aura le paysage viticole mondial dans trente ans ? Certainement assez différente de celle que nous avons sous les yeux. Nous en apercevons toutefois les prémices. Le réchauffement global des températures et l'amélioration des techniques viti-vinicoles permettent à des nouveaux vignobles d'exister là où ce n'était pas concevable il y a peu. L'Angleterre (oui, l'Angleterre !) parvient de mieux en mieux à faire mûrir ses raisins. Les résultats les plus prometteurs à ce jour restent les effervescents de la côte, sur des terroirs crayeux. Ce n'est pas encore du champagne, c'est déjà du crémant.

Avec son climat tropical, l'Inde n'est pas particulièrement bien lotie non plus. Pourtant, le pays déploie un dynamisme étonnant, et la production augmente rapidement. On compte aujourd'hui plus de cinquante producteurs répartis dans trois régions viticoles : Nasik et Sangli, dans le Maharashtra, Bangalore dans le

Karnataka. Pour la qualité, les riches propriétaires font appel à des consultants de renommée internationale comme le Français Michel Rolland.

Quant à la Chine, la voilà bien partie pour tenter de nous en mettre plein les yeux (et plein les verres ?). Surtout que la demande locale ne cesse de croître : la consommation de vin est un fort marqueur social. Aujourd'hui, 80 % du vin bu par les Chinois est produit dans le pays. Et si l'offre augmente au même rythme que la demande, les exportations chinoises resteront contenues, fort heureusement. Les vignobles sont plantés sur des surfaces gigantesques, à des latitudes proches de celles du bassin méditerranéen. Soit, en gros, dans le nord de la Chine, en majorité le nord-est. Et les Français n'ont pas l'intention de regarder passer le train. Ils investissent massivement. Bernard Magrez y avait acquis un domaine, le groupe Pernod-Ricard en a créé un autre, tout comme LVMH. Même Lafite-Rothschild se lance dans l'aventure avec la construction d'un immense vignoble et un objectif tout aussi ambitieux : produire 120 000 bouteilles en 2016.

Et finalement, ce sont peut-être de vieux vignobles comme ceux de Crimée, de Slovénie et des Balkans qui pourraient créer la surprise : ils retrouvent de leur superbe et s'emploient maintenant à se faire connaître à l'international.

Chapitre 6

Les métiers du vin

Qui sait combien de visages une bouteille de vin a pu croiser dans sa vie, avant de tomber sur le vôtre, occupé à la zieuter, voyant en elle une promesse de félicité ? Peut-être n'a-t-elle connu qu'un seul visage, celui de son « père » qui l'a fait naître d'abord sous forme de raisin dans la vigne, qu'il a vendangé, pressé, vinifié avant d'embouteiller. Puis il vous a vendu directement la bouteille après une dégustation, quand vous lui avez dit : « Hé, ami vigneron, je peux vous acheter six bouteilles comme celle-ci ? »

La bouteille que vous contemplez désormais vide (mais vous, vous êtes comblé) a peut-être eu, à l'inverse, une vie sociale très animée avant de croiser votre chemin. Son raisin a salué le passage de l'agriculteur, puis de l'œnologue, du vendangeur, du trieur, du maître de chai, d'un autre œnologue, d'un négociant, d'un caviste ou d'un sommelier avant de se retrouver sur cette table. Tout ça ?

Viticulteur ou vigneron

« Vous êtes le vigneron ?
– En fait, je suis plutôt viticulteur.
– Ah… »

Ben oui, ce n'est pas pareil. Dans le langage courant, on utilise souvent vigneron et viticulteur comme des synonymes. Pourtant, ils permettent de distinguer deux activités. Ce brave homme qui vous a répondu voulait vous dire : « Je cultive la vigne et quand mes raisins sont mûrs, je les récolte et je les vends à la coopérative voisine ou à un négociant. »

Le vigneron, lui, élève les raisins puis les récolte et les vinifie. Il fait son vin en plus de la culture de sa vigne. C'est l'image du vigneron costaud et taiseux (l'image correspond rarement à la réalité) qui fait tout de A à Z. Il produit, dirige son exploitation et vend son vin. Ce vigneron est aussi nommé, surtout en Champagne : récoltant manipulant.

Le viticulteur lui aussi peut vendre son vin, même s'il ne l'a pas vinifié. « Oui je suis adhérent à la coop'. » Voilà, tout s'explique. Notre ami viticulteur, appelons-le René, vend donc sa récolte de raisins à une coopérative. La coopérative la vinifie et met le vin en bouteille, puis René rachète le vin et colle son étiquette. Et comme René est champenois, on dit qu'il est récoltant coopérateur. « Nan, je rigole, en fait je suis rattaché à une marque. Je vends à un négociant manipulant, comme on dit dans le jargon ! » René est un farceur. En vrai, il vend ses raisins à un négociant qui fait le vin et le vend sous son nom ou sa *marque*. C'est très souvent le cas en Champagne, où les grandes maisons commercialisent beaucoup plus de bouteilles qu'elles ne pourraient en produire avec leurs vignes. Elles rachètent donc les raisins à des viticulteurs choisis avec soin. C'est également le cas des *maisons de négoce* en Bourgogne (Laroche, Bichot, Bouchard, Faiveley, Latour, Jadot…), ainsi qu'en Alsace ou en Languedoc-Roussillon (Gérard Bertrand, Hecht & Bannier, vignerons du Sieur d'Arques).

Une chose est sûre, notre pote René n'est pas « négociant distributeur », celui qui achète le vin déjà mis en bouteille pour y coller une étiquette de sa marque. Sinon René serait une chaîne de supermarchés. Et vous ne pourriez pas avoir cette discussion avec lui.

L'œnologue et le « winemaker », les médecins au chevet du vin

L'œnologue est à la vigne et au vin ce que le médecin est pour nous. Sauf qu'il est à la fois pédiatre de la vigne, chirurgien de la vinification, endocrinologue sur les levures, généraliste prévenant l'apparition des maladies, cardiologue surveillant le vieillissement. Si le vigneron (ou le viticulteur, ou René, quelle que soit la dénomination de son métier) le désire, l'œnologue lui fait la totale : il le conseille sur la vigne à planter, du cépage au porte-greffe, la taille, la densité de plantation, l'orientation du rang. Puis il surveille la santé de la plante, sa résistance, la croissance des baies, les soins préventifs et curatifs à apporter. Il indique le moment où l'on commence les vendanges. Puis il surveille la vinification. C'est d'ailleurs le plus souvent dans ce but qu'il est sollicité : aider la récolte à devenir du bon vin. Souvent, c'est lui qui choisit les levures, élabore les assemblages, veille à l'absence de bactéries. Il procède à des analyses régulières d'échantillons de vin en laboratoire. C'est la branche la plus scientifique du vin.

L'œnologue peut exercer son métier au sein de l'exploitation qui l'emploie, qu'il s'agisse d'un domaine, d'une coopérative, d'une maison de négoce. Il peut aussi rejoindre une équipe d'œnologues en laboratoire. Ou alors, en tant que consultant, il choisit d'intervenir après de différents vignerons et, éventuellement, se spécialise comme chef de culture ou de production.

Dans les vignes du Nouveau Monde est apparu un nouveau personnage. Un homme au nom qui sonne fort : le *winemaker*. Dans ces jeunes régions viticoles, les travaux de la vigne sont très séparés de ceux du vin. La naissance de grandes exploitations a cloisonné agriculture et transformation. Le *winemaker* fait le vin. À la différence du vigneron, il ne s'occupe pas du raisin en amont. Une bonne traduction française serait : vinificateur. Il ressemble à notre maître de chai, à cette différence près que ce dernier se consacre au chai d'un seul domaine (de préférence prestigieux). Souvent consultant pour plusieurs domaines et parfois référence de qualité, le *winemaker* conseille, supervise et surveille la vinification ainsi que la période d'élevage.

Les meilleurs d'entre eux encadrent même la production de vin dans différents pays. Dans ce cas, ils chopent un nom de super-héros. On les appelle – roulements de tambour, *tatatatin !* – les *flying winemakers*. En français, ce ne serait pas moins classe : les vinificateurs volants. Les plus connus des *flying winemakers* sont certainement les Bordelais Michel Rolland et Stéphane Derenoncourt.

Le sommelier,
au service du vin

Si l'œnologue est le médecin du vin, le sommelier est à la fois le cupidon et le *wedding-planner* (« organisateur de mariage », en français) de la bouteille. Au restaurant, il agit avec doigté pour encourager la rencontre, provoquer le coup de foudre. Blanquette de veau ou risotto, il saura proposer le vin idéal pour un mariage heureux avec le plat. Mais surtout, il tente de détecter vos goûts, percer vos envies les plus secrètes et vous conseiller le vin qui saura faire chanter votre cœur. Faites-lui confiance, il peut (presque) tout entendre et sera ravi de vous guider le plus près possible du nirvana.

Après cela, il met en scène l'union : température de service parfaite, verres adaptés à la puissance des arômes. Il ouvre le vin, le fait goûter. Le sommelier, issu d'une formation en hôtellerie, mêle autant la dégustation que le service. Mais dans certaines gargotes, il n'a de sommelier que le nom et son incompétence est désolante.

Il existe des concours du meilleur sommelier de France, d'Europe et du monde. Ils consistent en une série d'épreuves variées : corriger une carte des vins erronée, proposer le plat qui sublimera au mieux une bouteille, décanter et servir le vin, déguster et décrire le mieux possible plusieurs verres à l'aveugle. En fait c'est un métier un peu schizophrène : il connaît parfaitement le vin mais ne doit jamais se mettre en avant face au client. Surtout, il se doit d'être fin psychologue. Philippe Faure-Brac – qui a remporté le concours du meilleur sommelier du monde en 1992 – me racontait ainsi qu'avec Georges Lepré, autre sommelier de renom, ils s'amusaient parfois à déterminer le vin le mieux adapté à un client, avant même que celui-ci n'ait fini de traverser l'allée du restaurant.

La solitude du critique

Tout comme le critique de musique ou de cinéma, le critique de vins a ses entrées partout, il est connu comme le loup blanc et son avis s'impose comme une référence. La finesse de son palais, ses connaissances encyclopédiques sur les vins et sa prodigieuse mémoire gustative sont ses principaux atouts. Il scotche son auditoire car il est capable de se rappeler et de raconter pratiquement chaque vin et chaque millésime qu'il a dégusté pour son journal ou son guide.

Presque toujours en déplacement, il écume les domaines et châteaux à la recherche de la bonne affaire, de l'étoile montante ou simplement pour vérifier si les classiques sont bien à leur place. Selon son caractère, il est accueilli par le vigneron avec appréhension (certains dégustateurs sont connus pour goûter et noter un vin sans faire le moindre commentaire oral) ou avec complicité. Les critiques qui ont « un peu de bouteille » connaissent les vignerons et leur famille, leur tapent sur l'épaule et ne se gênent pas pour dire que, cette année, son vin n'est pas à son niveau habituel.

Le reste du temps, le critique travaille dans son bureau et reçoit des dizaines de bouteilles envoyées par le producteur, le négociant ou l'attaché de presse. Lors des primeurs ou des dégustations des syndicats d'appellation, le dégustateur professionnel peut goûter entre 50 et 100 vins par jour tout en rédigeant ses appréciations.

Mais comme pour la musique ou le cinéma, le critique en vin est également l'objet… de vives critiques. D'abord parce que le commentaire d'un grand dégustateur peut faire et défaire la réputation d'un domaine. Ainsi, une note de Robert Parker peut faire exploser la demande et le prix d'une bouteille. C'est d'ailleurs ses notes de dégustation des vins en primeur, notamment à Bordeaux, qui influencent très fortement la tendance générale des prix.

Dans le secteur économique du vin, si puissant, cela fait beaucoup de responsabilités réunies dans les mains de peu de personnes. Car les grands critiques ne sont pas nombreux. Ensuite, et c'est tout aussi gênant, plusieurs vignerons ont été tentés par une course à l'échalote pour la meilleure note. En produisant par exemple, des vins immédiatement charmeurs mais à l'avenir incertain, ou des vins « dans le style de ce qu'aime Parker », créant ainsi tout un mouvement de vins dits « parkerisés » (voir « Le phénomène Parker », p. 148).

En réaction à ces critiques gourous, grâce à internet, a émergé une foule de dégustateurs amateurs et avertis. *Via* un *blog* ou un *forum*, ils donnent leur avis sur tel vin, tel vigneron, tel restaurant. Certains blogueurs se spécialisent sur une région, s'engagent sur l'agriculture bio, le vin nature. Donnent leurs conseils. Ces œnophiles sont rejoints par des professionnels, restaurateurs ou sommeliers, qui livrent leurs astuces de service et leurs accords magiques. La diversité des blogs sur le vin participe à la démocratisation de ce « sport » qu'est la dégustation. Si certains calquent le jargon des professionnels et manquent singulièrement de recul, nombre d'entre eux parlent du vin avec humour et décontraction. Ces blogs permettent aux jeunes amateurs de s'identifier à des profils de dégustateurs plus décalés, moins installés. Bref, plus proches d'eux.

Et les femmes dans tout ça ?

Le monde du vin se féminise, lentement mais sûrement. En France en 2010, un tiers des œnologues sont des femmes. Quinze ans auparavant, elles n'étaient que 19 %. Quant aux sommelières, elles sont 20 % dans la profession. Un chiffre dramatiquement bas quand on sait qu'en Russie ou au Japon, elles sont majoritaires. Et que dire de notre retard par rapport à la Suède, où 80 % des sommeliers sont des sommelières ? La féminisation de cette profession n'a pourtant rien de surprenant : le service en hôtellerie est majoritairement féminin et ces dernières sont réputées pour avoir une sensibilité aux odeurs très fine.

Les femmes vigneronnes tracent aussi leur route. 13,5 % en 1988, elles représentent aujourd'hui le double : 27 % des chefs d'exploitation viticole. Pas de quoi, pour autant, parler de « vins de femmes ». Des tests ont montré qu'il était rigoureusement impossible de savoir, en goûtant un vin, s'il était l'œuvre d'un homme ou d'une femme. S'il fait un vin qui lui ressemble, le vigneron ou la vigneronne ne donne pas de sexe à sa production.

Par ailleurs, l'évolution des métiers de la filière vin accroît la présence féminine, notamment grâce à l'explosion des missions du secteur tertiaire : marketing, communication, traduction, relation presse, design…

Chapitre 7

Effets de mode et tendances de fond autour du vin

L'évolution du vin dans l'Histoire

Le vin d'aujourd'hui n'est pas le même que celui de nos grands-parents. Et il n'a rien à voir avec celui que l'on servait au Moyen Âge ou même du temps des Romains.

Impossible de savoir qui a inventé le vin. Il semble néanmoins sûr que la vigne soit née sur les pourtours de la Méditerranée, il y a plus de 8 000 ans. Des archéologues ont retrouvé, dans des cavernes préhistoriques, des amas de pépins datant d'environ 6 000 ans avant Jésus-Christ. Tout porte donc à croire qu'à l'époque, nos ancêtres pressaient déjà le raisin. Et qu'ils cultivaient la vigne, dans le Caucase et la Mésopotamie. Savaient-ils déjà maîtriser la fermentation ? Personne ne le sait.

Les choses se précisent dans l'Égypte ancienne. Sur les tombeaux de pharaons, des fresques et des reliefs figurent des scènes de vendanges, de viticulture et de vinification. On y voit des Égyptiens qui récoltent le raisin et le foulent aux pieds. Dans un temple de Montou, près de Louxor, un gobelet en argent destiné au vin a été retrouvé : il a 3 000 ans. Dans le tombeau de Touankhamon, les archéologues ont découvert des jarres portant des inscriptions indiquant origine et millésime. Par conséquent, les Égyptiens assez aisés pour boire du vin distinguaient déjà les productions de différents vignobles et savaient le faire vieillir. Ils conservaient le vin dans des jarres fermées avec un bouchon de liège. Nos méthodes sont finalement très proches, à tel point qu'actuellement, certains viticulteurs reviennent à la vinification en jarres. Le vin ne nous a pas attendus pour être bon !

Bon, il l'est resté au fil des siècles. Le vin avait une place de choix dans la Grèce antique. En 550 avant J.-C., il est servi dans de superbes jarres, décorées de scènes du culte de Dionysos. Les poètes en vantent la beauté. Il était pourtant très différent du nôtre : coupé à l'eau et additionné d'herbes (thym), d'épices (cannelle) et de miel, l'aimerions-nous aujourd'hui ? Les Grecs puis les Romains eurent coutume d'ajouter de l'eau de mer. Non pour noyer le vin, mais ils avaient remarqué que le sel est un exhausteur de goût.

Les Romains, justement, ont élevé le vin au rang de l'art. On le déguste, on le raconte, on l'échange, on le fait vieillir durant des décennies. La viticulture est aussi une ressource économique majeure et se développe dans tout l'Empire. Les récits d'époque sont si fournis qu'ils permettent de dessiner une carte de la répartition des vignobles en l'an 100. La surprise est immense : elle ressemble à nos cartes actuelles ! Les régions aujourd'hui appelées Grèce, Bulgarie, Italie, France, Espagne (quoique en moindre quantité) produisent du vin. Dans ce qui sera la France, la vigne prospère déjà le long de la Loire, à l'embouchure de la Gironde, dans le Languedoc, en Provence, dans la vallée du Rhône et en Bourgogne ! Toutes ces régions se disputent d'ailleurs le privilège d'avoir été la première implantée par ces Romains.

Les vins romains devaient ressembler au madère actuel : le vin est chauffé et conservé au-dessus du foyer. Comme les Grecs, ils utilisent des amphores, tandis que la Gaule s'essaie aux tonneaux de bois.

Le Moyen Âge démarre avec Charlemagne, et ses lois promulguées en faveur d'un meilleur vin. Hormis à Bordeaux, ce sont les ordres religieux qui démontrent une expertise dans la production de vin. Les moines cisterciens, en Bourgogne, délimitent les parcelles qui existent encore aujourd'hui, les Bénédictins cultivent les plus grands vignobles italiens. En 1224, le roi de France organise un concours international de dégustation de vin. C'est Chypre qui remporte la première place !

Au cours du Moyen Âge et de la Renaissance, le vin s'impose petit à petit comme une boisson populaire, saine surtout. À l'époque, l'eau est insalubre dans bien des villes. Les vertus bactéricides et antiseptiques du vin jouent un grand rôle dans son essor. Ceux qui peuvent se le permettre ne consomment d'ailleurs que ce breuvage. Il est ajouté à l'eau pour la décontaminer et servi aux enfants dès leur plus jeune âge, car on le considérait comme moins dangereux que l'eau ! À l'approche de la Révolution française, des documents historiques évaluent la consommation annuelle de Paris à 350 litres de vin par habitant (contre moins de 60 l/an de nos jours). Même si, à l'époque, le vin n'affichait que 8° à 9° d'alcool, il est vraisemblable que dans certaines régions, nos ancêtres étaient ivres du matin au soir…

L'utilisation hygiénique du vin perdure longtemps, à tel point que Louis Pasteur, au XIXe siècle, affirmait : « Le vin est la plus saine et la plus hygiénique des boissons. » Mais entre l'époque romaine et le XVIIIe siècle, les hommes ont oublié comment le garder. Même s'il se conserve mieux que l'eau, on ne le fait pas vieillir ; un vin jeune vaut d'ailleurs plus cher qu'un vin de l'année précédente. Au XVIIe siècle, on invente la bouteille de verre et on redécouvre le bouchon de liège au siècle suivant. Et ça change tout ! On renoue avec la notion de « vin de garde ».

Jusqu'en 1860, le vin connaît une époque bénie. Le bordeaux, jusque-là qualifié de « claret », un vin rouge très léger prisé des Anglais, se concentre et se bonifie. Le champagne effervescent naît vers 1688 grâce à Dom Pérignon. Les grandes maisons champenoises et les maisons de négoce bourguignonnes font leur apparition au siècle suivant. Les vignerons affinent la qualité de leur vin, mettent en avant la région d'origine, les bouteilles voyagent dans toute la France grâce au chemin de fer, dans le monde entier grâce aux bateaux. Le classement bordelais de 1855 pour distinguer les meilleurs crus constitue un point d'orgue.

Mais en 1863, patatras. C'est l'arrivée du phylloxéra. Ce puceron ravageur originaire d'Amérique du Nord touche pour la première fois une vigne européenne. Il fait son apparition dans le sud des Côtes-du-Rhône puis, trois ans plus tard, il est détecté dans le Languedoc. Il lui suffit de quelques semaines pour s'attaquer aux racines d'une vigne, l'affaiblir et la tuer.

En quelques années, il contamine l'intégralité du vignoble de la France. En vingt ans, il se répand dans tout le continent et menace d'anéantir l'ensemble du vignoble européen. Rien n'en vient à bout. L'espoir vient de la patrie d'origine du phylloxéra : l'Amérique. Sur place pousse une vigne indigène qui est immunisée. Cette découverte et l'invention qui en découlera vont révolutionner la viticulture moderne.

Puisque cette souche américaine résiste au phylloxéra, pourquoi ne pas l'utiliser comme pied et greffer par-dessus une vigne européenne ? Victoire ! Le porte-greffe est né. À partir de 1880, le porte-greffe américain se généralise. Aujourd'hui, pratiquement toutes les vignes du monde sont greffées, rares sont celles qui survivent franches de pied comme à Tahiti, où le phylloxéra ne peut se développer (les vignes franches de pied sont issues de boutures non greffées). Ne subsistent que quelques exceptions, des cépages locaux résistants, des vignes poussant sur un sol sableux. Les exemples les plus célèbres sont la petite parcelle « vieilles vignes françaises » appartenant à Bollinger et le romorantin de la cuvée préphylloxérique d'Henri Marionnet. Désormais, le vigneron achète le plant déjà greffé chez le pépiniériste ; ce dernier réalise le greffage en soudant les deux parties avec de la cire. Le porte-greffe permet de relancer les vignobles mais il faudra un bon demi-siècle pour que les choses rentrent dans l'ordre.

En 1935, la qualité redevient une priorité, avec la création du Comité national des appellations d'origine des vins, rebaptisé en 1947 Institut national des appellations d'origine (Inao). Les appellations d'origine contrôlées (AOC) font leur apparition. La prospérité des grands châteaux resurgit dans les années 1950. Parallèlement, les viticulteurs du Nouveau Monde parviennent à maîtriser la chaleur de leur climat et leurs vins gagnent aussi en qualité. Les années 1960 voient la création de grandes entreprises vinicoles en Californie et en Australie. Elles s'approprient le fût de chêne français ; leur réputation talonne celle des vins européens. D'autant qu'à l'époque, l'Italie et l'Allemagne sont encore dans une démarche œnologique de production à tous crins. Il faut attendre encore dix ou quinze ans pour que les rendements diminuent significativement et que les vins gagnent en concentration, en arômes, en matière.

Si la France était, en 2010, le premier pays producteur de vin (elle a produit 20 % des vins de la planète), l'Italie lui pique régulièrement la première place et, en termes d'exportation, elle est sévèrement concurrencée par les pays du Nouveau Monde qui misent sur des vins de cépages simples, pas chers et de bonne constitution. Le chardonnay et le cabernet, cultivés partout, s'imposent comme les cépages à la mode. Inconvénient de cette mondialisation : ces raisins sont parfois travaillés pour donner des vins standardisés, très semblables d'un pays à l'autre. Pourtant de leur côté, les consommateurs recherchent de plus en plus des vins de qualité et sont prêts à les payer un peu plus cher pour y trouver un peu de terroir, d'originalité. Bref, un vin qui sort du lot. Ce qui encourage la diversité des cultures et la transmission des pratiques locales.

Le phénomène Parker

Avocat de formation né en 1947 à Baltimore, Robert Parker a dynamité le métier de dégustateur critique. Le guide de dégustation le plus connu au monde porte son nom. Au départ, c'était une simple *newsletter*, où le jeune homme commentait ses dégustations et les notait sur 100 (en réalité, le barème est établi sur une échelle de 50 à 100 points). D'emblée, ça marche. Il faut dire que le franc-parler et la simplicité des textes de cet autodidacte détonnent dans un milieu empesé, où les professionnels de la dégustation arborent souvent la mine guindée d'Alfred, le majordome de Batman.

Par ailleurs, il met en avant son indépendance en refusant toute publicité, cadeau ou voyage de presse. Bref, en 1979, la publication de Robert Parker prend son nom définitif : *The Wine Advocate*. Vingt ans plus tard, elle compte 45 000 abonnés, dans 35 pays.

Entre les deux dates, il y eut un tsunami dans le monde des amateurs de vin : 1982. Tous les dégustateurs professionnels qui ont goûté les primeurs de Bordeaux dénigrent le millésime. Trop mûr, pas assez acide. Robert Parker, lui, s'enthousiasme, déclare 1982 comme étant une année exceptionnelle et lui prédit une longue garde. Il a raison. Encore aujourd'hui, c'est un millésime de référence. Certains dégustateurs se rangent alors à son avis mais surtout, ses lecteurs lui font confiance et se ruent sur les bouteilles. Les prix du Bordelais explosent. Le phénomène Parker est né.

Aujourd'hui l'influence de cet homme, décoré en France (ordre national du Mérite, Légion d'honneur) et en Italie, est si puissante qu'elle a conduit certains vignerons à modifier leur style d'élaboration. Même si la vérité est toujours plus nuancée, Robert Paker aime les vins ronds, concentrés, puissants, fruités (voire confiturés) et vanillés, aux tanins très présents mais patinés. Il n'a pas mauvais goût, reconnaissons-le. Mais tous les vins ne sont pas portés vers ce style, qui correspond à une viticulture et une vinification particulières : des rendements faibles, des raisins très mûrs, une extraction marquée et, pour caricaturer un peu, un élevage en fûts neufs. Or certains vignerons vont appliquer à la lettre les critères pour coller aux goûts du critique. Objectif, récolter une bonne note, si juteuse financièrement parlant. La fin des années 1990 et le début des années 2000 vivent à la mode des vins « parkerisés ».

Heureusement, cette tendance semble s'essouffler. Les consommateurs avertis comme les plus néophytes aspirent désormais à des vins qui gardent de la fraîcheur. Si Parker est revenu sur certaines de ses critiques en déclarant : « L'arôme boisé, c'est comme le sel. Quand il y en a trop, c'est épouvantable », il s'est fait d'irréductibles ennemis. Parmi ceux-ci, le cinéaste Jonathan Nossiter avec son film *Mondovino* et la critique new-yorkaise Alice Feiring. Dans son livre *La Bataille du vin et de l'amour. Comment j'ai sauvé le monde de la parkérisation*, celle-ci s'insurge à propos d'un vin parkerisé en ces termes : « Que faisait cette confiture de vanille et de framboise digne d'une décoction à l'usage des produits Body Shop dans mon nuits-saint-georges ? »

L'agriculture biologique

Répétez après moi : le *vin bio* n'existe pas ! Même s'il est autorisé, depuis août 2012, de mentionner « vin biologique » sur les bouteilles, ce terme n'existe pas. Provocateur ? Pas du tout. En revanche, le vin issu de l'agriculture bio, lui, il existe. Vous saisissez la nuance ?

Pour prétendre au label AB (agriculture biologique) décerné par le ministère de l'Agriculture, le viticulteur doit répondre à un cahier des charges précis. Ne pas avoir pulvérisé de pesticide, insecticide ni herbicide depuis plus de trois ans (lors de ces trois années, on dit que le vignoble est en conversion). Ne pas avoir utilisé d'engrais chimiques pendant la même période. En remplacement, on opte pour des produits d'origine végétale, comme le fumier. Pour défendre la vigne contre les maladies, un arsenal de traitements est proposé, dont la bouillie bordelaise, qui consiste à épandre du cuivre afin de lutter contre le mildiou, un champignon qui survient en cas de pluie et de chaleur. Cette méthode soulève les plus vives critiques sur les bienfaits de cette agriculture, car le cuivre, répandu en quantité importante, peut modifier profondément la structure du sol. Par ailleurs, le viticulteur a le droit de pulvériser du soufre dans les vignes, cependant en plus petite quantité que dans l'agriculture conventionnelle. La lutte contre les maladies reste néanmoins plus délicate que dans l'agriculture conventionnelle, ce qui ralentit la conversion en agriculture biologique dans certaines régions.

En revanche, au moment de la vinification, le vigneron fait ce qu'il veut (dans les limites de la réglementation générale). Libre à lui d'ajouter du soufre, des levures sélectionnées pour booster certains arômes, des blancs d'œufs… En pratique, les viticulteurs bio prennent soin de ne pas saboter leur travail à la vigne avec une vinification grossière. Mais le développement de vins bio industriels nécessite de rester vigilant.

Ce n'est donc pas parce qu'un vin porte la mention AB – et cela vaut pour tous les produits – qu'il est bon. Rien ne garantit que les raisins aient été cueillis à maturité parfaite, que la fermentation se soit bien passée et que l'élevage soit réussi. Vous serez simplement sûrs que ni le raisin, ni la Terre, ni vous n'avez ingurgité d'intrants chimiques. Autre subtilité, beaucoup de viticulteurs « travaillent en bio » depuis des années, c'est-à-dire sans produits chimiques, mais n'ont jamais fait la demande de certification. Parce qu'ils n'en voyaient pas l'intérêt, jouissant déjà d'une clientèle conséquente et fidèle, ou qu'ils ne voulaient pas être enfermés dans un carcan administratif.

Quoi qu'il en soit, l'agriculture biologique de la vigne est en pleine explosion. En tête des régions françaises : la Bourgogne et l'Alsace. Mais le Languedoc, la Loire, le Rhône et le Jura font preuve d'un beau dynamisme. À la traîne, le Bordelais, qui s'y met tout doucement. Il faut du temps. Après plusieurs décennies d'agriculture intensive, la terre privée soudainement d'armes surnaturelles peut mettre un certain temps à s'ajuster à ce nouveau rythme, plus exigeant. Après tout, un pilote automobile ne devient pas marathonien en quelques mois. Le bio demande davantage d'attention, de travail, de bras (vendanges manuelles obligatoires), davantage d'argent par conséquent. Il est parfois compliqué à mener, sur des terroirs difficiles. Mais il est l'assurance d'une culture pérenne et d'une terre protégée. Les intrants chimiques, insecticides et autres détruisent les nutriments, les micro-organismes et appauvrissent les sols.

Les nouvelles pratiques : la biodynamie et les vins nature (sans soufre)

La biodynamie va plus loin que l'agriculture biologique. L'agriculture biodynamique porte son pilier fondateur dans son nom : dynamique. Elle cherche à mettre en valeur l'énergie du sol et des éléments naturels pour favoriser l'épanouissement de la vigne. Au lieu de traiter la maladie, on s'efforce de corriger le déséquilibre qui crée cette maladie.

Cette philosophie s'appuie sur les travaux contestés de l'Autrichien Rudolf Steiner dans les années 1920. Les critères pour obtenir le label Déméter reprennent ceux de l'agriculture biologique mais sont complétés par l'emploi de préparations spécifiques et le respect du calendrier lunaire pour les traitements et la taille.

Pour bichonner la vigne, le vigneron déploie un arsenal surprenant. D'un côté, il est basé sur des pratiques séculaires de bon sens paysan, telles que l'ajout d'engrais de purin d'orties ou l'influence des phases de la lune. Mais il se sert aussi de traitements plus originaux, comme la bouse de corne, de la bouse séchée dans une corne et enterrée pendant un hiver, puis diluée à dose quasi homéopathique et pulvérisée dans les vignes. Ce type de traitement soulève en fait les mêmes interrogations que l'homéopathie. Cela ne fait pas de mal, mais est-ce vraiment efficace en cas de besoin ? Les vignerons qui pratiquent la biodynamie (et ils sont de plus en plus nombreux) affirment que oui ; les scientifiques sont sceptiques. D'autant que certains ont des pratiques franchement bizarres. Ainsi Nicolas Joly, propriétaire de la très réputée coulée-de-serrant, chantre de la biodynamie, recommande de jouer une note de musique correspondant au terroir devant ses barriques, quinze minutes par jour, pour que la vinification se passe bien.

Si la biodynamie soulève de grandes interrogations quant à son impact sur la viticulture et son avenir, elle est pratiquée avec un succès incontesté par quelques grands vignerons de renommée internationale. Ainsi, le fameux domaine de la romanée-conti reste très discret sur le sujet, mais en privé, l'un de ses propriétaires, Aubert de Vilaine, reconnaît volontiers qu'il applique l'agriculture biodynamique dans son vignoble.

Le « vin sans soufre » exprime la mouvance la plus radicale. D'ailleurs, il n'existe pas de législation pour le définir. Notez que, comme pour le « vin bio », le vin « sans soufre » est un rac-courci. Il faudrait plutôt parler de vin sans soufre ajouté. En effet, le vin peut contenir du soufre issu des raisins. Comme son nom l'indique, il s'agit donc d'un vin dans lequel aucune quantité de soufre n'est ajoutée, ni pour stopper la fermentation ni pour pro-téger le vin. C'est *a priori* la seule contrainte et le vigneron peut faire ce qu'il veut en dehors de cela. Cependant, il s'agit d'un type de vin que l'on ne fait pas sans convictions profondes. Mis à part quelques exceptions très marketing, la totalité des vigne-rons qui ne soufrent pas leur vin cultivent leur vigne en biodyna-mie. Ils n'ajoutent pas de levures exogènes non plus. En fait, ils vous diront souvent qu'ils n'ajoutent rien. Ils produisent ce qu'on appelle du *vin nature*.

Reconnaissez que cela sonne bien ! Les amateurs de vin nature apprécient la pureté du breuvage, son originalité, et avouons-le, ils aiment la surprise. Il peut être tout à fait délectable, comme les vins d'Henri Milan en Provence. Mais le vin nature, tout en offrant une palette aromatique croquante, fraîche et vitaminée, a un défaut : la bête est capricieuse. Privé de soufre pour le stabiliser (voir « Les bons et les mauvais côtés du soufre » p. 66), le vin nature est très sensible. Il demande au vigneron des conditions de fabrication irréprochables et, au caviste ou au consomma-teur, des conditions de stockage drastiques. Un coup de chaud dans la cave (au-delà de 15 °C) et la fermentation peut repartir, pour peu qu'il y ait des sucres résiduels dans le vin ou que la « malo » le titille. Il est surtout très sensible à l'oxydation. Dans les bars à vins parisiens branchés, qui ont largement contribué à répandre la mode du vin nature, il est fréquent de tomber sur un vin (surtout en blanc) présentant une déviance aromatique : des odeurs de pommes blettes voire de basse-cour pointent leur nez facilement. Certains consommateurs apprécient juste-ment cette caractéristique. Mais si vous n'êtes pas fan des vins éventés, soyez prudent. Tentez l'expérience et, si ça ne vous plaît pas, demandez poliment un autre verre.

Chapitre 8

Le vin et la santé

Le vin est-il dangereux pour la santé ? Le médecin du XVIe siècle Paracelse a formulé un principe qui s'applique parfaitement à l'alcool : « Toutes les choses sont un poison et rien n'est sans poison : c'est la dose qui fait le poison. » Autrement dit, c'est la quantité d'une substance qui définit sa toxicité. Un produit apparemment inoffensif devient dangereux s'il est absorbé en grande quantité, tandis qu'un autre, considéré comme toxique, a des effets anodins, voire bénéfiques à petites doses. Ainsi, puisqu'il contient de l'alcool, le vin peut tuer en cas d'absorption excessive. Pourtant, il a longtemps été recommandé par les médecins en cas de maladie pour ses vertus antiseptiques (surtout du fait de l'impureté de l'eau). Quant à Hippocrate, il pensait qu'une nourriture saine, riche en fruits et légumes, et le vin étaient la base de tout traitement, ce que l'on a redécouvert vingt siècles plus tard avec le fameux régime crétois. Dans les années 1990, nous avons découvert son rôle dans le curieux phénomène du *French paradox*.

Les effets de l'alcoolisme

L'alcoolisme provoque, en France, 45 000 morts par an. Presque un décès sur dix. C'est la deuxième cause de mortalité évitable après le tabac. Et même quand il ne tue pas, l'alcool affecte l'ensemble de l'organisme, à des degrés plus ou moins graves, plus ou moins réversibles.

Voici comment ça se passe : au bout de deux verres de 12 cl, le sang d'un buveur de vin contient 0,5 g/l d'alcool. À ce stade, il traverse une phase d'euphorie, il a envie de parler à ses voisins de table. La communication est plus facile, ses inhibitions diminuent, il se sent sûr de lui. Toutefois, il ne devrait pas se lancer dans un jeu de fléchettes, du bricolage, de la conduite, bref tout ce qui requiert concentration, coordination ou habileté : ces facultés commencent à se troubler. L'alcool déshydrate. Ce fêtard n'est pas malin et espère étancher sa soif en reprenant quelques verres. Frreur.

À partir de 1 g et jusqu'à 2 g/l d'alcool dans le sang, l'euphorie fait place à l'ivresse. Le sens de l'équilibre et la capacité de réaction sont franchement altérés. À cela s'ajoutent de la confusion, la perte du sens de l'orientation et une capacité de jugement franchement ralentie. Là, on quitte la piste de danse, on file au lit tout de suite. D'autant que les vomissements guettent. Au-delà de 3 g/l, c'est la torpeur, l'inconscience puis le coma éthylique. La température du corps chute rapidement, la respiration diminue. À ce stade, on croise les doigts pour avoir un ami assez lucide pour appeler les urgences immédiatement.

L'alcool n'est pas digéré. Il passe directement dans le sang, qui le répand dans tout l'organisme. Il est enfin brûlé par le foie. Consommé en excès, sur une période plus ou moins longue selon les individus, l'alcool sollicite cet organe et risque de l'endommager : hépatite, stéatose, cirrhose, cancer. Il peut également détruire le pancréas, provoquer des cancers de l'estomac, de l'œsophage, de la gorge, déclencher de l'hypertension artérielle, des maladies du système nerveux (destruction des nerfs, atteinte du cerveau entraînant des démences) et des troubles psychiques comme la dépression.

Sa consommation régulière entraîne une accoutumance, puis une dépendance physique particulièrement importante et douloureuse : l'état de manque engendre des vertiges, des tremblements, des sudations, des confusions mentales avec hallucinations (*delirium tremens*). Bref, c'est une drogue.

Le mystère
du « french paradox » éclairci

Les Français sont les premiers consommateurs de vin au monde par habitant (avec les Luxembourgeois) : cinquante-cinq litres par an. Pourtant ils souffrent beaucoup moins de maladies cardiovasculaires que les habitants d'autres pays, les Américains par exemple. Les Français semblent protégés, malgré des habitudes de vie proches des Anglo-Saxons et une nourriture riche en graisses. C'est en particulier le cas pour les habitants du sud-ouest de l'Hexagone, dont le régime alimentaire n'est pas réputé être des plus légers. Ceux-là présentent pourtant moins de risques d'affections que leurs cousins du Nord-Pas-de-Calais. Sur leur table : foie gras, magret… et vin rouge bien tannique. Quel est le rapport ? En 1990, un journaliste américain publie dans le magazine de santé *Health* un article intitulé « The French Paradox » dont la renommée franchit rapidement les frontières. Il met clairement en relation la bonne santé cardiovasculaire de nos gars du Gers et leurs habitudes gastronomiques.

Les études scientifiques lui donnent raison. Consommé avec modération, le vin réduit le risque de crise cardiaque, d'attaque cérébrale ou de toute affection cardio-vasculaire. Cependant, tous les vins n'ont pas ce pouvoir. Nos anges gardiens, ce sont les tanins. Ils ont des propriétés antioxydantes étonnantes, ainsi que des effets vasodilatateurs et anti-inflammatoires. Les tanins facilitent l'assimilation des graisses, empêchent les artères de se rétrécir et de se boucher. Dans cette activité, les vins tanniques sont bien plus efficaces que les vins blancs. Ainsi, une personne qui boit un à deux verres de vin rouge par jour voit ses risques de développer une maladie cardiovasculaire diminuer de 45 % par rapport à un abstinent. D'autres études ont par ailleurs montré que le vin pouvait réduire le risque de développement de certains cancers et contribuer à la longévité de l'activité cérébrale chez les personnes âgées.

La modération, nécessaire à la dégustation

Lors d'un dîner, deux verres de vin sont amplement suffisants pour procurer à l'heureux gastronome un sentiment de détente et de bien-être. L'ébriété ne procure ni l'un ni l'autre. S'il est un fin dégustateur, il sera particulièrement attentif à la limite entre le plaisir et l'ivresse : à partir d'un certain seuil (au-delà de trois verres de 12 cl en moyenne), les facultés de perception et de jugement sont altérées. Le consommateur ne distingue plus clairement les arômes et les flaveurs du vin, il n'est plus en état de se concentrer sur son verre et d'en apprécier la complexité. Il sort du plaisir de la dégustation. L'amateur de vins malin veillera donc à garder un verre d'eau à portée de main pour étancher sa soif et ne choisir le vin que pour étancher son plaisir.

Quant à l'amateur qui a soif de découvertes mais pas de biture, il privilégiera les restaurants qui proposent un large choix de vins au verre, pratique de plus en plus répandue ou, plus futé encore, ceux qui proposent au choix le verre et le demi-verre. Ou comment goûter quatre verres de vins différents pour la quantité de deux.

De son côté, l'Organisation mondiale de la santé (OMS) recommande de ne pas dépasser trois verres de vin par jour pour les hommes, deux pour les femmes, de ne pas consommer plus de quatre verres durant une fête, et de respecter un jour d'abstinence par semaine.

Partie III

Je choisis au pif

Vous en savez désormais un peu plus sur le vin, son origine, sa fabrication et les façons de le goûter. Mais tout cela ne vous sera guère utile si vous ne savez pas choisir la bonne bouteille pour la bonne ambiance, le bon repas ou que vous la servez dans de mauvaises conditions. Un rouge puissant dans un gobelet, un blanc à une température de 20 °C ou un liquoreux sur un cassoulet sont autant de façon de massacrer un vin. Ne passez pas à côté d'un bon moment !

Chapitre 1

Accorder un vin et un plat

Il est tout à fait possible de déguster un vin pour ce qu'il est, sans chercher à l'associer avec la moindre nourriture. Vous l'ouvrirez entre amis et le goûterez avec un peu de pain, il n'aura guère besoin de plus. Dans ce cas, il vaut même mieux éviter les accompagnements traîtres du type tapenade, surimi, tomates séchées, guacamole ou cubes de gouda au cumin qui vont perturber la dégustation par leur diversité de saveurs. Plutôt qu'une ribambelle de sensations qui risquent de s'entrechoquer, si le pain vous semble trop monacal, privilégiez un seul bel accord : un vin blanc sec avec un fromage de chèvre, un rouge sombre et épicé avec une tapenade d'olives noires ou, pourquoi pas, un camembert avec un champagne brut. C'est une excellente approche pour s'initier aux joies des accords.

La magie des mariages et la recherche de l'accord parfait

L'accord parfait. C'est le Graal de tous les amateurs de vins et de bonne chère. Vous le savez sans doute, tous les vins ne s'entendent pas avec tous les plats. Il en va entre eux comme avec les humains : certains sont faits pour s'engueuler pendant le repas, d'autres se jettent dans un rapport de force qui durera tout le long, cherchant à s'imposer face à l'autre sans jamais s'accorder, d'autre encore s'entendent comme larrons en foire. Et pour quelques-uns, c'est le coup de foudre. C'est évidemment la rencontre magique que l'on recherche en présentant un vin à un plat. Ou, à défaut, un bon copinage.

Vous l'avez compris, chaque vin a son caractère. S'il est identique à celui du plat, ça marche toujours. Mais les accords les plus émouvants sont ceux où, justement, les caractères diffèrent mais se rencontrent, se séduisent, se marient, se complètent. Et se subliment. Et cette complémentarité ajoute de la richesse, de la complexité au vin comme au plat.

L'idéal, pour les amateurs de vin, est de goûter son verre avant de toucher au plat, puis de le goûter de nouveau en mangeant. Tentez l'expérience, vous serez surpris de voir à quel point il se transforme au contact des aliments.

Le plus drôle, c'est que l'accord recèle souvent son lot de surprises. Ainsi Fabrice, amateur aguerri, avait préparé un lapin à la moutarde. Pour l'accompagner, il avait choisi un hermitage rouge – accord classique. La finesse et la puissance du vin, alliées à la finesse de la viande et à la puissance de la sauce. L'accord était génial. Mais très différent de ce qu'il avait envisagé. Au contact du lapin, le vin a soudain révélé des arômes de chocolat aux noisettes, qui a transmis une dose d'exotisme et un sacré coup de jeune à ce plat français pourtant si traditionnel. Une bonne surprise.

Parfois c'est l'échec. Si le plat fait ressortir l'acidité du vin, c'est raté. Si le vin rend le plat aigre, c'est raté aussi. Si le plat rend le vin astringent, encore loupé. Inutile de développer davantage. En revanche, mettons que vous craquiez pour un vacqueyras, qui sent le poivre, le thym et les cerises noires, bien gras en bouche, qui accroche à peine. Imaginez-le maintenant avec une bonne côte de bœuf grillée : les sucs se mélangent, le gras du vin flirte avec le gras de la côte, fouettée par le poivre ; le thym et la cerise noire s'entrelacent avec la viande à la façon d'une marinade... Vous y êtes ? Oui, c'est ce qu'on appelle le bonheur. À moins que vous ne préfériez un pomerol, ses arômes de violette rafraîchiront la côte de bœuf, la truffe *so chic* et le cuir de l'animal le draperont d'élégance. C'est à vous de voir.

Là encore, votre palais est seul juge du bon accord. Certains dégustateurs vous diront même qu'il n'existe pas de mauvais accord : c'est selon les goûts de la personne qui le tente. D'ailleurs, vous serez surpris, si vous consultez les sommeliers spécialistes des accords mets-vins, de constater la diversité des recommandations autour d'un simple steak frites. Tâchons quand même de baliser le terrain.

L'accord des couleurs

C'est le meilleur truc quand vous êtes perdu : les couleurs s'assemblent toujours. Du blanc avec du blanc, du rouge avec du rouge. Du rosé avec… du rose-orange ! Vous ne pouvez pas vous tromper. Parole !

Vous avez besoin d'exemples ? Un poisson : sole, bar, turbot ; des crustacées : Saint-Jacques, gambas, homard ; des volailles : poulet, poule, dinde ; du lapin… Le blanc est votre copain.

Des viandes rouges : bœuf, entrecôte, filet, onglet, pavé, steak tartare ; de l'agneau : en gigot, en carré ; du gibier : sanglier, chevreuil, faisan ; des rognons, du foie de veau mais aussi des plats en sauce comme le bœuf bourguignon, la daube, le navarin, le pot-au-feu… Le rouge est votre meilleur allié.

Quant à la côte de porc marinée, la merguez, la chipolata, bref les préparations pour barbecue, mais aussi un saumon grillé ou même la purée de carottes : le rosé copinera joyeusement avec ces aliments.

Et le vert, me direz-vous ? Les légumes verts ne sont pas faciles à marier avec le vin. Mais ils peuvent malgré tout s'entendre avec des blancs teintés de nuances vertes. L'accord d'un muscat sec avec des asperges est bien connu !

Les accords classiques

Le terroir

La première règle d'un accord classique, celle qui fonctionne à tous les coups et doit toujours être envisagée en priorité, consiste à faire correspondre le terroir. Autrement dit, un plat régional avec un vin de la région : une choucroute alsacienne avec un riesling ou un pinot blanc d'Alsace, un cassoulet avec un cahors, une fondue savoyarde avec un blanc de Savoie, une paella avec un vin rouge espagnol, un couscous maro-cain avec un vin marocain. Et un agneau de Pauillac avec… ? Un pauillac, vous avez tout compris. Pourquoi cette règle ? Il semblerait que la terre qui a vu naître l'un et l'autre forme un trait d'union, une base indéfectible. Comme un patrimoine génétique qui relie un frère et une sœur. Il est évident que lorsque la garrigue pousse au pied des vignes, elle transmet ses arômes au vin avant d'être cueillie pour parfumer les plats. Logique également qu'un vin méditerranéen ait plus d'affinités avec une cuisine solaire et marine qu'avec un plat roboratif du nord. Ainsi, l'acidité et l'amertume d'un pinot blanc alsacien se fondent harmonieusement avec les mêmes acidité et amertume de la choucroute. Moralité, quand vous allez chez le boucher ou le poissonnier vous procurer de quoi mitonner un bon repas, demandez donc l'origine de vos produits : elle vous guidera dans le choix du vin.

L'accord de fusion

Autre accord classique : l'accord de fusion. Qui se ressemble s'assemble. Les goûts sont proches, vin et plat se dirigent dans la même direction. Du gras avec du gras, du sec avec du sec, du salé avec du salé. Exemple : la salinité d'un muscadet ou le côté iodé d'un chablis avec des huîtres. Et surtout, du sucré avec du sucré. Exemple : un bonnezeaux liquoreux avec une tarte Tatin à la mangue. Dans l'accord de fusion, on va éga-lement chercher la proximité aromatique, pour que les arômes de l'un renforcent ceux de l'autre. Dans l'exemple précédent, la mangue se retrouvera dans l'assiette et dans le verre, de même qu'une bonne dose de sucre et une pointe d'acidité. Attention d'ailleurs à l'équilibre général. N'y allez pas trop fort et souve-nez-vous qu'un fruit est presque aussi acide que sucré. Le vin doit suivre le même schéma, sous peine de vous retrouver la bouche aussi empâtée que si vous aviez avalé une motte de beurre et 500 g de sucre.

De la même manière, choisissez un vin puissant pour affronter un plat très cuisiné et haut en saveurs ; un vin léger pour une assiette délicate. Enfin, si vous avez cuisiné avec un vin, l'idéal est de garder le même pour la table (sauf si c'est un vin de cuisine dans une petite bouteille en plastique). Ou, au moins un vin de la même région et du même cépage.

Autres accords classiques

Avec du champagne	Petits fours Feuilletés Canapés Charcuteries Tarama Coquilles Saint-Jacques Sole
Avec du champagne rosé	Rougets Viande blanche aux girolles
Avec du beaujolais	Charcuteries Terrines Foies de volailles Andouillette Petit salé Porcelet rôti
Avec du bourgogne blanc	Poissons en sauce Bar au beurre blanc Turbot Saint-pierre sauce hollandaise Filets de sole Lieu jaune Cabillaud Crustacés : langoustines, écrevisses, langoustes, homard

Avec un petit chablis	Huîtres
Avec un chablis	Saint-Jacques Gambas rôties Cuisses de grenouilles persillées
Avec un meursault	Blanquette de veau Quenelles de poisson Jambon à la crème.
Avec un mâcon blanc	Pâté de foie Rillettes Aile de raie Fromage de chèvre
Avec du bordeaux blanc	Saumon cru ou vapeur Merlan Tartare de poissson Carpaccio de crevettes ou de Saint-Jacques Beignets de crevettes Écrevisses Homard Oie rôtie Gratin de pâtes
Avec du bourgogne rouge	
S'il est jeune	Viandes rôties Canard rôti Côte de bœuf grillée Cuisses de cailles confites Mignon de veau Rôti aux champignons Coq au vin Poulet rôti et frites

S'il est vieux	Gibier à plumes Faisan Perdreau Bécasse Pigeon mariné Lièvre
Avec des côtes-de-beaune rouges	Filet de cochon noir Queue de bœuf braisé Pot-au-feu Blanquette de veau Brochette de dinde
Avec du bordeaux rouge	Agneau
Avec du médoc	Carré d'agneau Épaule et gigot d'agneau
Avec un graves	Navarin d'agneau
Avec un saint-émilion	Viandes rouges Gésiers confits Cou d'oie
Avec un pomerol	(Presque) n'importe quel plat qui contient de la truffe
saint-estèphe	Tartare de bœuf
margaux	Poularde fermière Pigeonneau rôti
saint-julien	Pieds de cochon aux lentilles

graves	Joue de bœuf Pintade
Avec un bordeaux vieux (et classé)	Gibiers à poils comme la gigue de chevreuil, civet de biche et sanglier
Avec du côtes- du-rhône rouge septentrional (côte-rôtie, cornas)	Canard Rognons Gibiers à poils
Avec du côtes- du-rhône rouge méridional (vacqueyras, gigondas, costières- de-nîmes, châteauneuf- du-pape) **ou des vins du Languedoc- Roussillon**	Viande rouge grillée (au barbecue) Côte de bœuf Bavette Entrecôte Daube provençale Civet de lapin Tripes Poulet aux olives noires Burritos Chili mexicain
Avec du vin des Baux- de-Provence	Bouillabaisse Aïoli
Avec du rosé de Provence	Barbecue Poisson grillé Brochette Merguez Salade niçoise

Avec du rouge de Loire	Poissons avec une sauce relevée Viandes blanches Viandes rouges braisées Veau Pizzas Plats avec du coulis de tomate
Avec un vin du Sud-Ouest (collioure, madiran, gaillac)	Viandes sur le grill Cassoulet Confit Magret de canard
Avec un blanc d'Alsace	Poisson fumé Langoustines rôties Saumon Colin froid
riesling	Fromage de tête
sylvaner ou pinot blanc	Choucroute
pinot gris	Quiche au lard Lotte Volaille crémée
gewurztraminer	Cuisine sino-thaïlandaise
Avec un vin rouge muté (banyuls, maury, frontignan)	Dessert au chocolat ou au café

Les accords culottés

On les appelle aussi des accords de contraste. L'objectif est moins d'accompagner le plat que de surprendre, en dévoilant de nouveaux arômes et de nouvelles sensations. Ce sont les accords les plus recherchés car un goût nouveau va émerger de la rencontre entre le plat et le vin. Les plus amusants concernent des vins que l'on sert habituellement peu : effervescents, liquoreux, vins fortifiés.

Voici quelques accords culottés qu'il faut avoir tentés au moins une fois dans sa vie.

Du champagne brut (ou un bon crémant) avec du camembert coulant. L'effervescence du vin dompte le gras du fromage et lui donne un coup de peps surprenant.

Du vin jaune du Jura avec un poulet au curry. C'est en partie un accord de fusion, parce que le vin jaune a des arômes de curry, et un accord culotté, parce qu'il a la particularité d'être élevé sous voile et de développer des arômes oxydatifs : pomme, noix et fruits secs qu'on croirait ajoutés au plat.

Du coteaux-du-layon avec de la fourme d'Ambert (ou un sauternes avec un roquefort). Le mariage d'un vin sucré avec un fromage bleu fait toujours des étincelles. Bleu de Bresse, d'Auvergne, gorgonzola, tous ces fromages à pâte persillée sont trop puissants pour être servis avec un vin rouge ou un blanc sec. La force du fromage écraserait même le plus tannique. Il faut donc trancher. La douceur du vin mate le piquant du fromage et accentue sa rondeur. Un mariage qui n'est pas sans rappeler *La Belle et La Bête*.

Du sauternes (ou barsac, cadillac) avec un repas thaïlandais (ou un canard laqué). Le pinacle de l'accord sucré-salé. La gastronomie asiatique s'amuse à combiner des sauces sucrées à des plats salés. Le vin joue le même rôle d'exhausteur de goût et apporte en plus des arômes d'agrumes confits. Il a un autre atout : face à un plat très pimenté, un vin sucré éteint le feu et adoucit le piquant. Il faut le tester pour le croire. On veillera alors à privilégier un vin qui garde de l'acidité, plus moelleux que liquoreux, pour ne pas se fatiguer le palais.

Les accords à ne pas tenter

Ils ne sont pas nombreux. Vous pouvez même tout tenter si cela vous chante. Qui sait, peut-être votre « accord parfait » sera-t-il le fruit du hasard ? Néanmoins, vous risquez fort d'être déçu si vous tentez les accords suivants.

Du vin rouge très tannique avec des poissons et des crustacés. Les vins rouges légers (de la Loire, Bourgogne) s'associent plus facilement qu'on ne l'imagine avec les produits de la mer. Mais les vins tanniques mariés aux poissons enfantent un goût métallique des moins séduisants.

Du vin rouge très tannique avec des œufs. Les tanins avec le crémeux de l'œuf, c'est comme des chaussettes de tennis avec une jupe de tailleur. C'est possible, mais ce n'est pas joli.

Du blanc bien sec avec un dessert sucré. Une très bonne méthode pour rendre votre vin désagréable comme rarement. D'ailleurs, ça me fait penser à mes amis quand ils ont le hoquet : je leur donne une grosse cuillerée de sucre additionnée de vinaigre. La surprise gustative est si intense que le hoquet passe sur-le-champ. Voilà, c'est du même acabit.

Il existe également quelques aliments qui tuent le vin avec l'efficacité d'un bazooka :

• la gousse d'ail est une psychopathe du vin ;

• l'artichaut, l'endive, les poireaux et les épinards sont des *serial killers*.

• le pamplemousse est un kamikaze ;

• la vinaigrette est un assassin de la pire espèce.

Assortir son vin à une ambiance

Savoir s'adapter à une ambiance est une précieuse règle de savoir-vivre. Vous vous imaginez vraiment porter un jogging à la montée des marches du Festival de Cannes ? Vous pouvez toujours essayer de faire péter les watts sur une musique techno pendant un dîner romantique, mais ne vous plaignez pas si vous rentrez seul(e). Le vin ne déroge pas à cette règle sociale.

Quand la maîtresse de maison s'est acharnée à préparer un bon repas pendant des heures, on n'arrive pas, l'air faraud, avec une bouteille achetée à la sauvette dans une épicerie au coin de la rue. À moins d'avoir des inclinaisons masochistes, on n'apporte pas une grande bouteille dans une fête jonchée de gobelets en plastique. En dehors d'occasions particulières, un vin opulent et capiteux ne sera pas apprécié à sa juste valeur durant un repas estival, un vin léger et croquant se prêtant davantage aux fortes chaleurs. De même, un vin frais et fruité est plus adapté à un déjeuner qu'un vin lourd et épicé.

Certaines bouteilles appellent à l'amour. Pour un dîner romantique, un vin concentré, profond et élégant incitera aux confidences, alors qu'un vin chaleureux et épicé pimentera la soirée. Un blanc sec et nerveux risque en revanche d'envoyer des signaux contraires à vos intentions.

Pour une soirée collet monté, une bouteille d'appellation prestigieuse vous permettra de démasquer les « buveurs d'étiquette ». Profitez-en pour jouer un tour à un cousin prétentieux en choisissant un nom trompeur : un château-lafitte, par exemple, bordeaux générique qui n'a rien à voir avec un château-lafite (Rothschild), pauillac premier cru classé.

Pour un moment décontracté entre amis, à l'inverse, privilégiez les bouteilles sans esbroufe qui peuvent receler des trésors ; tentez une appellation inconnue, une vinification originale, un cépage oublié, un vieux muscadet (eh oui, certains se portent bien après plusieurs années de vieillissement), un grand beaujolais (pour tordre le coup aux affreux souvenirs du beaujolais nouveau), un joli vin de Loire méconnu (il y en a beaucoup) ; bref, amusez-vous !

Le cas des fromages

Contrairement au cliché largement répandu, l'association vin rouge et fromage mène souvent au fiasco. Les tanins n'accrochent pas le gras de la pâte. Au mieux, le vin croise le fromage sans le rencontrer. Au pire, le mariage sent la vieille chaussure. Si vous envisagez de servir un plateau varié, un vin blanc sec et aromatique s'avérera polyvalent. Vous pouvez également vous concentrer sur deux ou trois fromages adaptés à un même vin. Voici quelques idées d'accords qui fonctionnent bien.

Fromages	Vins
crottin de chavignol	sancerre
chèvre frais	sancerre, pouilly-fumé ou sauvignon de Bordeaux
chaource	champagne
tome de brebis (type ossau iraty ou tome des Pyrénées)	vin blanc sec du Sud-Ouest (pacherenc-du-vic-bilh ou jurançon secs)
brebis crémeux	blanc de Bordeaux avec du sémillon ou bourgogne sud (type saint-véran)
munster	gewurztraminer
cantal et salers	blanc du Rhône (ou éventuellement beaujolais rouge)

vieux comté, gruyère, beaufort	vin du Jura
roquefort	sauternes
brie et camembert	chablis, champagne… ou cidre
saint-nectaire	touraine rouge
époisses	bourgogne rouge

Chapitre 2

Servir le vin

La bonne température

Comment massacrer un bon vin ? Le servir avec un plat ina-dapté est une solution, le servir à une mauvaise température en est une autre. Au-dessous de la température optimale, le froid inhibe les arômes (et les défauts), fait ressortir les tanins et l'acidité. Au-dessus, les arômes manquent de finesse, le gras et l'alcool sont accentués, le vin devient pâteux.

Pour les vins blancs, on recherche la délicatesse, l'acidité et la fraîcheur. Tandis que pour les vins rouges, on s'efforce de pati-ner les tanins et de donner de la puissance. C'est pourquoi les vins blancs sont servis significativement plus frais que les vins rouges. En tout cas, ils ne sont jamais servis frappés (à 4 °C, sortis du réfrigérateur) ni à température ambiante (20 °C)

Une échelle de température pour un service optimal

8 °C-10 °C : champagne et effervescents
10 °C-12 °C : les liquoreux et les vins mutés
8 °C-13 °C : les rosés
9 °C-14 °C : les blancs
15 °C-18 °C : les rouges

Selon la qualité et le caractère du vin, la température peut varier. Ainsi, un grand champagne, vieilli ou millésimé sera servi moins froid qu'un effervescent standard, afin de mettre en valeur sa riche palette aromatique. De même, un blanc intense et boisé sera idéalement bu autour de 16 °C, alors qu'un blanc vif et léger sera plutôt dégusté à 12 °C. Quant aux rouges, un vin tannique se sert 2 °C à 3 °C plus chauds qu'un vin léger ou chaleureux. On dit généralement qu'on doit chambrer un vin rouge, c'est-à-dire l'amener à la température de service, en le laissant se réchauffer après avoir été sorti de la cave. Mais méfiez-vous de l'adjectif chambré, qui signifie : à la température d'une chambre. En effet, ce terme date d'une époque où les chambres étaient à 17 °C, beaucoup moins chauffées qu'aujourd'hui !

Sachant que dans un verre, un vin gagne un à deux degrés en quelques minutes, mieux vaut le servir un peu plus froid : il se réchauffera rapidement dans le verre pour atteindre une température tip-top quand il se déposera sur vos lèvres.

Comment rafraîchir rapidement une bouteille ? Oubliez le congélateur, c'est un froid beaucoup trop violent qui paralyse les arômes et crispe le vin. Le plus efficace reste l'eau : plongez la bouteille dans un seau d'eau froide additionnée de glaçons. Vous pouvez aussi mouiller un torchon d'eau froide, emmitoufler la bouteille dedans et la mettre trente minutes à une heure au frigo. Enfin, la solution du manchon réfrigéré est très efficace.

Après ouverture, prenez garde à ce que le vin ne se réchauffe pas trop rapidement, surtout si vous mangez dehors : prévoyez un seau à glace pour les effervescents, blancs et rosés et une chaussette isolante pour les rouges.

Les bons verres

Ni trop grand, ni trop petit. Comme un manteau sur sa robe, le verre habille le vin. Il doit lui offrir un confort apte à son épanouissement et le diriger vers votre bouche du mieux possible. À ce jeu, tous les verres ne sont pas égaux, loin de là. Selon le diamètre, l'épaisseur du bord, la taille du ballon, le vin change. Un exercice très amusant consiste à servir un vin dans des verres très différents et à les proposer à vos convives. Ils auront beaucoup de mal à croire qu'il s'agit du même vin. Et vous comprendrez alors qu'un gobelet en plastique, outre le fait d'être moche, peut flinguer le plus beau des breuvages. Certes, un verre ne va pas transformer un mauvais vin en bon cru. Mais il peut le mettre plus ou moins en valeur. C'est comme regarder un film avec un home cinéma ou sur un téléphone portable. Ça ne rend pas pareil.

Premier impératif : pour pouvoir admirer la robe, exit les verres colorés. Ils sont certes jolis sur une table, mais nous privent de la vue, sens bien précieux pour évaluer le stade de vieillissement du nectar.

Au rebut, également, les verres aux formes alambiquées ou qui s'évasent complètement sur les bords. Il faut comprendre comment les arômes viennent jusqu'à votre nez : ils se libèrent du liquide, s'épanouissent dans le ballon du verre et s'envolent dans son col jusqu'au rebord. Là, ils s'égaillent dans la nature (ou dans vos narines si elles sont posées dessus). Plus le verre est ventru, plus la surface du vin en contact avec l'air est grande. Et plus grande est la quantité d'arômes qui s'en échappe. Plus le col est serré, plus les arômes se concentreront pour jaillir vers votre nez comme d'un toboggan. Si, à l'inverse, le ventre est étroit, peu d'arômes se libèrent. Et s'ils remontent le long d'un large col, ils se dispersent mollement. Résultat, vous ne sentez pas grand-chose. C'est le cas avec un verre à moutarde.

Quatre principes

• La forme idéale d'un verre à vin suit la forme d'une tulipe : légèrement ventru avec un col plus étroit. Les gobelets et les verres à moutarde ne conviennent pas du tout : ils ne concentrent pas les arômes. À moins de servir une bombe à fruits, vous ne sentez rien. Et encore, même la bombe à fruits semblera fadasse.

• Pour être goûté correctement, un verre de vin doit seulement être rempli au tiers. Ainsi, les arômes peuvent se libérer entre les parois et paradoxalement, vous sentirez mieux un verre à moitié vide que s'il est complètement rempli. D'ailleurs, il est impossible de sentir quoi que ce soit s'il est plein à ras bord. Essayez vous-même, à l'occasion. Les bars à vins ne vous ont pas attendus pour utiliser cette méthode. Ceux qui servent de piètres vins remplissent soigneusement de petits verres. Ainsi, il vous sera très difficile de déceler un défaut. Et quand vous pourrez le faire, le verre sera déjà trop entamé pour le rapporter.

• Pour le champagne, la flûte, qui concentre bulles et arômes, est beaucoup plus adaptée à la dégustation que la coupe, qui n'a pas de col. Les plus grands champagnes seront carrément servis dans des verres à vin classiques.

• Dans les grandes maisons et les bons restaurants, on utilise différents verres selon le type de vin. En effet, un vin blanc a des arômes fragiles et fugaces. S'il est servi dans un verre très ample, son bouquet sera merveilleux les dix premières minutes. Puis il va s'épuiser et, en moins d'une demi-heure, le vin ne sentira plus rien. Quant aux rouges puissants, ils ont besoin de place pour s'ébrouer. Voilà pourquoi les blancs sont servis dans de plus petits verres. Pour les bourgognes rouges, on utilise idéalement un verre arrondi à l'ouverture resserrée. Tandis que les bordeaux se plaisent davantage dans un verre à l'ouverture presque aussi large que le ballon.

Ne soyons pas plus royalistes que le roi. Dans la vie de tous les jours, un verre à la forme de tulipe, classique et bien fait, suffira pour tous vos vins. À noter que la marque Chef & Sommelier commercialise un verre appelé « open up » pas cher et formidablement efficace pour les vins jeunes. En outre, il est presque incassable.

Dernier critère, la finesse du rebord. Selon qu'il est net (avec du cristal) ou taillé en bourrelet (du verre grossier), vous n'aurez pas la même sensation de précision en bouche. Difficile de savoir si le bord a une véritable influence ou si l'effet est seulement psychologique, mais le vin vous semblera toujours plus fin quand le rebord l'est également.

Mais au fait, pourquoi les verres à vin ont-ils un pied ? Pour qu'on leur tienne la jambe, pardi ! En tenant un verre par son pied ou par la tige, on évite de réchauffer le liquide avec nos doigts. Normalement, on attrape un verre par le ballon si et seulement si on le trouve trop frais et qu'on désire accélérer le réchauffement. Et qu'on a les doigts propres…

Le rôle du carafage

Il faut distinguer le carafage de la décantation, même si, dans les deux cas, il s'agit de vider une bouteille dans une carafe. On carafe un vin jeune, on décante un vin vieux. Les termes sont différents car l'intention diffère, tout comme la façon de faire et la forme de carafe employée.

Le carafage

Un vin jeune est carafé pour être aéré et parfois pour supprimer la petite odeur de réduit des rouges charpentés. On verse franchement et énergiquement le vin dans une carafe. Cette oxygénation vigoureuse permet au vin de s'ouvrir : les arômes emprisonnés dans la bouteille se libèrent, les tanins se patinent. Un peu comme un enfant enfermé trop longtemps dans sa chambre qui peut enfin s'ébattre dans un jardin avant de retourner faire ses devoirs, le vin apprécie de prendre l'air. À moins qu'il ne soit trop fragile, auquel cas le carafage l'épuisera.

Plus un vin est puissant, blanc ou rouge, plus l'embouteillage le serrera dans sa jeunesse et plus une aération longue sera nécessaire pour révéler la beauté de sa personnalité. Les vins les plus puissants ont besoin de plusieurs heures d'aération pour s'ouvrir. N'hésitez pas, contrairement aux idées reçues, à carafer les vins blancs riches et jeunes. Quand vous achetez une bouteille, demandez conseil au caviste ou au vigneron, il vous dira quelle aération lui semble la plus adaptée.

La décantation

La décantation, à l'inverse, n'a pas pour but d'aérer vivement le contenu d'une vieille bouteille. Cela reviendrait à pousser un pépé dans l'escalier. D'ailleurs, la décantation est loin d'être obligatoire. Avec les années, les tanins et les agents colorants précipitent et forment un dépôt dans la bouteille. Il vaut mieux éviter de le verser dans les verres des invités, ce n'est pas ragoûtant. Deux possibilités s'offrent à vous. La première est la plus simple : redresser la bouteille en position verticale et la garder debout dans les heures qui précèdent le repas, afin de permettre à cette lie de tomber au fond. Mais il faut prendre garde, en versant le 5e ou 6e verre, que les dépôts ne glissent pas de la bouteille au verre de votre ami Michel.

La deuxième méthode a l'avantage de séparer le vin de sa lie, mais elle demande plus de dextérité : c'est la décantation. On verse très précautionneusement le vin dans une carafe, le goulot éclairé au-dessus d'une bougie. Dès que des traces de dépôt apparaissent, on cesse la manœuvre. Et on n'attend pas avant de servir. Il faut malgré tout savoir que la décantation peut faire s'effondrer les vins les plus fragiles. On réserve donc cette pratique aux vins les plus structurés : bordeaux, côtes-du-rhône et languedocs, et seulement s'il y a un dépôt gênant.

Conserver le vin après ouverture

Vous est-il déjà arrivé de terminer une bouteille ouverte la veille et de la trouver bien meilleure ? Parfois un vin met trèèèès long-temps à se réveiller. Durant tout le repas, vous l'avez trouvé fermé, lui roupillait. Il lui a fallu la nuit pour se révéler et le voilà frais comme une rose pour le déjeuner. Dans tous les cas, ne vous forcez jamais à terminer une bouteille.

Constater son évolution dans les vingt-quatre ou quarante-huit heures qui suivent est toujours enrichissant : certains vins y gagnent, d'autres y perdent. Si le vin a été carafé, reversez-le dans sa bouteille d'origine à l'aide d'un entonnoir. Puis remettez un bouchon étanche : l'air dans la bouteille se gorgera d'arômes mais ceux-ci ne s'envoleront pas. Placez les blancs dans le réfrigérateur, les rouges dans un endroit frais et à l'abri de la lumière. Dans la cave d'où il vient, si c'est possible. Avec un bouchon classique en liège, le vin se conservera deux à cinq jours après son ouverture. Les blancs étant plus sensibles à l'oxydation, ils se détérioreront plus rapidement. Vous pouvez aussi recourir à un bouchon à pompe qui permet de vider l'air de la bouteille et de le conserver quatre à six jours. En dehors de pompes à oxygène, il existe également des sprays chargés d'azote et de dioxyde de carbone à pulvériser dans la bouteille pour chasser l'oxygène et rallonger ainsi la durée de vie de la bouteille d'une semaine environ.

Chapitre 3

Choisir
au restaurant

Ah, le fameux supplice de la carte des vins au restaurant ! Elle est parfois aussi dégarnie qu'un crâne chauve, parfois aussi touffue que la forêt vierge. Et tous vos amis comptent sur vous pour faire le bon choix. Si on vous a remis la carte, c'est qu'on vous fait confiance. Alors la moindre des choses, c'est que vous aussi, vous ayez confiance en vous. Après tout, si le vin est mauvais, ce n'est pas votre faute mais celle du restaurateur. Il faut simplement veiller à choisir un vin adapté à tous.

Décoder une carte

La carte des vins est toujours instructive. Si elle est truffée de fautes d'orthographe, si les millésimes ne sont pas indiqués ou si les pommards sont classés dans le Bordelais (et les pomerols en Bourgogne), fuyez. Un restaurateur doit mettre autant de soin à lister ses vins qu'à présenter ses plats. Imagine-t-on un cuisinier indiquer juste « bœuf » dans son menu ?

Une carte des vins digne de ce nom doit comporter les régions, les appellations, les noms de domaines ou de châteaux et les millésimes de chaque vin. Elle doit également proposer quelques vins au verre. Ce sont généralement des vins simples, mais il ne faut pas les écarter car ils sont le reflet de la sélection du patron. S'il vous propose spontanément de goûter le vin au verre du moment avant de choisir, c'est très bon signe.

Certains restaurants en vogue se spécialisent justement dans le service du vin au verre. C'est un excellent moyen pour satisfaire chacun des convives et tenter le meilleur mariage avec chaque plat... quitte à échanger les verres en cours de route. Cela dit, il faut savoir que les vins au verre sont, la plupart du temps, proportionnellement plus chers qu'une bouteille entière : un verre de 12 cl est souvent vendu au quart du prix, quand il représente en vérité le sixième du volume. Pour en savoir un peu plus, regardez si le vin au verre est également vendu en bouteille et multipliez le prix du verre par six : si cela correspond à peu près au prix du vin en 75 cl, vous êtes chez un bon commerçant.

Quant au prix de la bouteille au restaurant, il peut vous faire dresser les cheveux sur la tête si vous connaissez le prix au départ de la cave : la marge des restaurateurs français sur le vin est réputée pour être très élevée. En moyenne, un restaurant triple le prix d'achat. Sachant qu'il l'achète moins cher qu'un particulier, il est raisonnable de penser qu'elle coûte entre 2 et 2,5 fois le prix que vous auriez payé chez le vigneron. Horreur, certains restaurants parisiens à la mode multiplient parfois le prix par 5 ou 6 ! C'est pourquoi il est malin de connaître les prix de trois ou quatre classiques (un sancerre de chez Alphonse Mellot, un côtes-du-rhône de chez Guigal) pour le comparer et savoir à quoi s'en tenir.

La carte peut également vous révéler les goûts et la connaissance œnologique du propriétaire des lieux : entre les noms de marque/maisons de négoce très connus et les petits domaines secrets, les très pointus ou les vins de la coopérative du coin, vous saurez à « quelle sauce » vos plats seront mangés.

Enfin, si vous avez chez vous une cave bien fournie, renseignez-vous sur les possibilités de venir avec votre vin, moyennant un droit de bouchon. Si le restaurateur vous demande 10 € par bouteille apportée, cela peut vous paraître cher, néanmoins sur une belle bouteille, cela vaut le coup.

Un vin pour tous

La grande difficulté au restaurant est de choisir un vin qui ravira tous les convives et qui conviendra à leurs plats. Faites un rapide sondage sur les choix de menus.

Si tout le monde prend des fruits de mer et du poisson, choisissez un vin blanc et vif, un vin jeune de la Loire, un chablis, un bordeaux blanc ou un côtes-de-provence en été.

Si les volailles partagent l'affiche avec le poisson, optez pour un blanc plus structuré, bourgogne, beaujolais blanc, côtes-du-rhône blanc.

Si les convives oscillent entre poissons et grillades, surtout s'il fait chaud, jetez-vous sur un rosé de Provence ou un tavel (rosé de côtes-du-rhône, plus costaud pour la viande).

Si vos amis se dispersent entre poissons, volailles et viandes rouges, rabattez-vous sur un rouge léger et passe-partout. Côté Loire, chinon, bourgueil, saumur-champigny ou même sancerre rouge (fait de pinot noir alors que les autres sont constitués de cabernet franc). Côté Bourgogne, toute la côte-de-nuits : morey-saint-denis, chambolle-musigny, vosne-romanée ou gevrey-chambertin si vous en avez les moyens, sinon un fixin, un marsannay ou un côte-de-nuits-villages feront amplement l'affaire. Autre bonne idée : le beaujolais.

Si tous optent pour des viandes à toutes les sauces, grillées, bœuf, agneau, porc, descendez dans le sud : un médoc, un saint-émilion, un gigondas, un côtes-du-rhône villages (type cairanne).

Si les plats sentent le rugby – le magret de canard, le cassoulet, la daube, les plats en sauce –, craquez pour un corbières, un saint-chinian ou autre vin du Languedoc-Roussillon. Si en plus vos copains chavirent pour des vins solaires, plein de matière et de couleur, allez dans le Sud-Ouest, cahors, bergerac.

En revanche, s'il s'agit d'un dîner romantique, choisissez un vin plus sage : ceux du Sud-Ouest ont tendance à colorer l'émail des dents en violet. Un moyen efficace pour perdre d'un seul coup cent points de séduction !

Une bouteille remplit six à huit verres. S'il y a six convives ou davantage autour de la table, choisissez deux vins, un blanc pour les entrées et les poissons, un rouge pour la viande.

Passer la commande

Dans un restaurant gastronomique, un sommelier est là pour vous. Lui et lui seul doit prendre la commande. Il pourra vous aiguiller en cas de besoin. Si votre choix n'est pas arrêté, faites-lui part de vos interrogations. Vous pouvez lui dire que vous hésitez entre deux ou trois bouteilles, il vous aidera à trancher ou vous suggérera une habile synthèse de vos envies. Vous pouvez tout aussi bien lui dire que vous êtes paumé, il vous proposera une ou deux sélections. Il arrive aussi que le vin mis à la carte soit épuisé, dans ce cas, le sommelier devra vous prévenir et vous soumettre une alternative ressemblante.

Si vous festoyez dans un restaurant où il n'y a pas de sommelier, pensez à demander si le millésime affiché correspond bien à celui du vin présent dans la cave. Il arrive trop souvent que la carte propose un 2009 et que le serveur débouche un 2 010. Or les deux vins ne doivent pas être vendus au même prix (d'autant que 2009 est un millésime unanimement considéré comme délicieux). Dans le cas où vous hésiteriez entre deux bouteilles, demandez au serveur s'il a lui-même goûté les vins et de vous éclairer. C'est hélas rarement le cas. On ne compte plus les réponses des serveurs parisiens du genre « ben, les deux sont des vins blancs, de toute façon ça ira avec votre sole ». Super, merci. S'il est coopératif, tentez de savoir si quelqu'un parmi le personnel peut vous conseiller. Sinon… annoncez le vin au hasard ! Qui ne tente rien n'a rien.

Partie IV

Je crée ma cave

Une cave commence toujours par une bouteille. Quelques flacons couchés dans un placard, c'est déjà un début. Que ce soit en prévision d'un dîner improvisé, un cadeau pour la prochaine invitation ou un souvenir à garder, nous avons tous de bonnes raisons de conserver du vin à la maison. Maîtrisez quelques règles sur la préservation et la bouteille attendra sagement son tour. Si vous en savez un peu sur elle et que vous ne l'avez pas achetée par hasard, vous saurez exactement à quelle occasion la servir. Le vin fera le reste et sèmera la joie sur son passage. C'est tout le mal que l'on souhaite à un amateur de bon vin.

Chapitre 1

Conserver du vin chez soi

Les différentes occasions

Un amateur de vin se doit d'avoir plusieurs cordes à son arc. Libre à vous, si vous avez découvert un « p'tit chinon du tonnerre », d'en acheter douze bouteilles. Néanmoins, veillez à pouvoir proposer des alternatives. Car au bout du 10e « j'ai un p'tit chinon du tonnerre, vous allez voir », vos amis pourraient vous envoyer paître, vous et votre p'tit chinon du tonnerre.

Alors qu'une bonne bouteille débouchée au bon endroit et au bon moment peut changer votre vie ! Bon, sans aller jusque-là, elle peut vous permettre de gagner de précieux points auprès de votre cousin buveur d'étiquettes, votre copine qui n'aime que le bio, votre ami un peu enrobé qui craque pour les vins à son image… ou le patron féru de vins confidentiels. L'idéal est d'avoir à portée de main une batterie de vins qui pourront s'adapter à toutes les situations.

Le minimum est d'avoir un blanc et un rouge du quotidien, que vous n'hésiterez pas à emmener à une soirée ou à déboucher à l'improviste pour des copains de passage.

Enrichissez ensuite votre trésor pour des moments plus particuliers : un champagne ou un crémant pour une bonne nouvelle, un moelleux ou un liquoreux pour un goûter dominical entre adultes, un vin fortifié (qui se conservera plusieurs semaines après ouverture) pour les fins de soirée ou les apéritifs (les grands-mères apprécient souvent un dé à coudre de porto avant le repas, et il est important de pouvoir gâter également grand-mère). Et puis un vin excentrique, produit d'un cépage oublié, ou qui bénéficie d'une appellation originale. Pourquoi pas un vin de pays, façonné par un vigneron consciencieux qui n'a pas souhaité prendre l'appellation, certains sont très réputés parmi les connaisseurs. Ce sont souvent des vins qui ont une histoire sympa, à raconter avant de servir. S'il a été créé en biodynamie, c'est encore mieux. Attention, nous parlons ici d'un vin excentrique, et non d'un vin bizarre. Assurez-vous qu'il est bon en plus d'être original.

Enfin, prévoyez un vin rouge et un vin blanc de qualité supérieure, d'une appellation réputée. Il peut s'agir d'un meursault en blanc, d'un saint-julien en rouge par exemple. Ce sont des vins que vous pourrez garder quelques années à vos côtés et que vous déboucherez pour une belle occasion : un anniversaire, une déclaration d'amour, un nouveau job… ou autour d'un bon repas de retrouvailles.

L'importance du vieillissement

Tous les vins ne sont pas faits pour vieillir. Certains sont très appréciables dans leur fougue juvénile, « sur le fruit ». C'est le cas de la plupart des vins bon marché, des effervescents, des blancs, des rosés et des rouges légers et peu tanniques. C'est finalement le cas de la plupart des vins que l'on achète. Généralement, les vins élaborés à partir de pinot blanc, viognier, sauvignon, gamay et beaucoup d'autres cépages sont plus agréables dans leur jeunesse, entre 2 et 6 ans. Ils ne sont pas armés pour développer des arômes de vieillissement tout en gardant une belle silhouette.

Pourtant, ce serait une erreur d'éviter ces vins, car vous vous priveriez de plaisirs simples et faciles. Il faut au contraire les accepter pour ce qu'ils sont. Savoir boire une bouteille à son zénith, qu'elle ait huit mois ou dix ans, est une grande qualité pour l'amateur de vin.

À l'autre bout de l'échelle, il y a des vins qui sont faits pour vieillir, qui ont besoin de temps pour s'épanouir. Ce sont d'ailleurs les vins les plus recherchés et les plus prestigieux (et aussi les plus chers).

Les vins rouges

Ils se servent de leurs tanins en guise de bâton de vieillesse. Ces derniers protègent le vin et vont grignoter les pigments colorants et l'acide. Devenus obèses, ils précipitent : ce sont les dépôts. Un vin qui contient beaucoup de dépôts au fond de la bouteille est un vin qui a bien vieilli. C'est d'ailleurs un excellent indicateur pour voir s'il est temps de boire une bouteille (même si les vins très filtrés laissent beaucoup moins de traces). Chemin faisant, avec la formation de ces précipités, le vin perd en couleur et en astringence. Sa robe se teinte d'orangé et se fait plus légère. Quant à la structure du vin, elle se patine. Il devient plus souple, le côté râpeux disparaît. Voilà pourquoi il est nécessaire d'attendre certains vins : bus trop jeunes, ils ne sont pas très bons. Beaucoup de personnes déclarent ne pas aimer le bordeaux, trop tannique, mais ils le boivent en fait trop jeune. Ils changent d'avis quand ils le découvrent à son apogée. Enfin, en vieillissant, les arômes du raisin et ceux de l'élevage se mêlent, s'harmonisent et créent de nouveaux arômes, plus complexes, plus riches : c'est le bouquet. Ces seniors capables de vous offrir ce type de bouquet à table se nomment – entre autres – bordeaux (classés), madirans, hermitages, châteauneuf-du-pape, portos.

Les vins blancs

Les vins blancs ont eux aussi la capacité de développer des arômes magiques, mêlés de miel et de cire. Puisqu'ils n'ont pas de tanins, c'est l'acidité qui leur sert de colonne vertébrale. Pour vivre longtemps, un vin blanc, même sucré, doit avoir une bonne dose d'acidité. Ce qui est plus facile à faire au nord. Cependant, et cela exclut pas mal de cépages, ces derniers ne doivent pas être trop sensibles à l'oxydation. Car, ne l'oublions pas, c'est le contact avec l'oxygène qui fait vieillir un vin. Or les vins blancs qui développent des arômes de vieillissement magiques ont été élevés dans des barriques de bois, et sont donc plus exposés à l'oxydation. Une bonne solution pour accompagner la forte acidité est de cueillir les raisins très tardivement et d'élaborer des vins sucrés. Avec le temps, l'acidité s'adoucit, la robe se pare d'un voile orangé et, contrairement aux rouges, elle devient plus intense. Parmi les bons blancs du 3e âge, on trouve les chenins secs et liquoreux de Loire, les bourgognes de la côte de Beaune, les rieslings allemands secs et moelleux et les grands liquoreux comme le sauternes ou les tokays.

Le processus du vieillissement

Mais au fait, comment le vin vieillit-il dans la bouteille ? Si vous avez bien suivi, vous aurez lu plusieurs fois que c'est l'oxygène qui fait vieillir le vin. Or dans une bouteille, il n'y a pas d'air, enfin presque rien, juste une petite bulle. Eh bien cette petite bulle suffit, c'est elle qui sera la solution et le poison : elle va aider le vin à gagner en maturité, puis le faire inexorablement décliner jusqu'à sa mort. C'est également cette petite bulle de rien du tout qui fait qu'un magnum coûte proportionnellement plus cher qu'une bouteille classique de 75 cl. En effet, on laisse toujours la même quantité d'air entre le vin et le bord du goulot, où on va poser le bouchon. Comme il y a beaucoup plus de vin dans un magnum de 1,5 l, la bulle a moins d'effet sur le liquide : le vin vieillit plus lentement, il se conserve plus longtemps. Donc, il a davantage de valeur. CQFD !

Le cas du bouchon. Qui veut voyager loin ménage sa monture. Dans sa route vers la maturité, le vin a besoin d'un partenaire indéfectible, comme Don Quichotte a besoin de Sancho Panza : son bouchon. Son rôle dépasse largement le plaisir du *plop*. Plus il est hermétique, moins il laisse passer l'air. Comme nous le savons désormais, l'air est « la porte ouverte à toutes les fenêtres ». Enfin, à la mort du vin.

Il existe différents types de bouchons. Le bouchon de liège, le plus connu (et le plus aimé des consommateurs), est soit taillé directement dans la masse, soit constitué de granules de liège agglomérés. Son efficacité est prouvée depuis des siècles, son élasticité lui permet d'épouser parfaitement le col et de s'adapter à de légères variations de température pour protéger le vin au fil des saisons. Cependant, sa qualité diffère selon le bois choisi : moins le bouchon contient de fentes le long de son corps, appelées lenticelles, plus il est hermétique. Si une face ne contient aucune trace, on parle d'un miroir. Les bouchons qui possèdent un miroir de chaque côté sont extrêmement rares, leur prix peut grimper jusqu'à 3 € pièce. Ils sont utilisés pour des bouteilles exceptionnelles, qui doivent pouvoir vieillir pendant plus d'un demi-siècle. Vous pouvez facilement observer la qualité d'un bouchon une fois la bouteille ouverte.

Truc......

Le bouchon se dessèche s'il n'est pas mouillé. C'est pourquoi il est impératif de coucher les bouteilles pour que le liquide soit toujours en contact avec le bouchon. Sinon, il perd de son élasticité et laisse passer l'épouvantable oxygène.

Mais le bouchon de liège a également des défauts : le plus gros grief à son encontre, c'est le non moins épouvantable goût de bouchon. Issu d'une molécule (appelée TCA) qui contamine le bois, il flingue le vin avec plus d'efficacité qu'un fusil-mitrailleur. Il suffit d'une quantité infime de cette molécule pour rendre une bouteille imbuvable. Les bouchonniers s'efforcent de réduire la présence du TCA à l'aide d'une hygiène drastique et de soigneux procédés de décontamination du liège. Même si les procédés se sont améliorés au cours des cinquante dernières années, on considère qu'environ 3 % à 4 % des bouteilles achetées sont bouchonnées. Cette part de risque est-elle acceptable ? Il faut en tout cas la prendre en compte lors d'un achat.

Pour éviter cet aléa, des sociétés proposent désormais des bouchons synthétiques. Moins cher à produire que leur alter ego naturel, le bouchon synthétique possède les mêmes propriétés, du moins à court terme. En effet, ils n'ont pas la même élasticité dans le temps, ils ont tendance à se figer et à perdre leur étanchéité. Néanmoins, pour des bouteilles consommées dans les deux ans, comme c'est si souvent le cas dans le commerce, ces bouchons font très bien l'affaire.

Une autre piste de conservation vient de l'aluminium : la capsule à vis. Elle n'a pas les faveurs du grand public car, soyons honnête, elle est assez moche, ne produit pas le bruit de prémices aux délices et rend le tire-bouchon, outil national, tout à fait inutile. Néanmoins, les Suisses l'utilisent avec bonheur pour leurs bouteilles de vin depuis les années 1970. La capsule à vis a un formidable avantage : elle est hermétique, ô combien. Et, naturellement, elle ne fricote pas avec les vins bouchonnés. À l'heure actuelle, sa force est parfois pointée comme une faiblesse : elle est si hermétique que certains dégustateurs trouvent le vin encapsulé réduit, moins épanoui qu'avec le liège.

Des fabricants proposent désormais des capsules avec un joint plus ou moins poreux pour approcher l'effet du bouchon naturel. En tout cas, sa capacité de conservation s'affirme avec le temps. Des dégustations comparatives montrent que des vins ayant passé dix ans sous capsule tiennent bien le choc, même si, indéniablement, les arômes d'évolution sont légèrement différents. En mieux ou en moins bien ? Cela dépend des crus et de votre goût. Le temps jugera mais la capsule fait son chemin : sur 17 milliards de bouteilles commercialisées dans le monde, 4 milliards possèdent des bouchons à vis. Et ce chiffre devrait augmenter au fil des ans : certains vignerons français (reconnus) commencent à proposer leur vin bouché, au choix, par du liège ou avec une vis. Ces derniers sont surtout destinés à l'export. Pour l'instant.

Les bonnes conditions

Pour goûter un vin vieux, vous avez deux solutions : soit vous l'achetez déjà vieux et ça vous coûte bonbon, en espérant qu'il ait grandi correctement ; soit vous l'achetez jeune, moins cher, et vous le faites vieillir vous-même. D'un point de vue économique, c'est un bon plan.

Selon les conditions de conservation dont vous disposerez, le vin vieillira plus ou moins rapidement. Exposé à une température de 16 °C, il évoluera beaucoup plus vite qu'à 11 °C, *idem* si le bouchon n'est pas n'est pas totalement étanche à l'air. Or, comme pour les êtres humains, un vin vieillit mieux s'il vieillit lentement. Nous allons voir pourquoi une cave convient généralement bien à une douce évolution. Pour permettre une bonne conservation, une cave à vin doit respecter quelques critères : température, humidité, lumière, odeur et calme.

La température idéale, pour espérer faire vieillir son vin durant plusieurs décennies, est de 11 °C ou 12 °C. Mais les bouteilles se conservent très bien quelques années entre 6 °C et 18 °C. La maturation est ralentie par le froid, et s'accélère quand il fait chaud. C'est pourquoi le rythme lent des saisons permet au vin de vieillir selon un cycle harmonieux, l'évolution estivale cédant la place au repos de l'hiver. Ce qu'il faut surtout éviter, ce sont les variations brutales de température, qui abîmeront le vin. Donc ne pas le mettre près d'un radiateur – trop chaud, il risque de rendre le vin grabataire à toute blinde, voire le cuire comme un madère – ou sous une fenêtre – il y fait souvent trop froid, parfois trop chaud si le soleil donne directement dessus, catastrophe.

L'humidité est très importante. Si l'air est trop sec, le bouchon se desséchera. Il provoquera une oxydation rapide du vin. Il vaut mieux un air franchement humide, avec un taux de 75 % à 90 % d'humidité. Mais gare, en cas d'excès (assez rares), au bouchon qui moisit. Trop d'humidité peut aussi conduire les étiquettes à se décoller, ce qui s'avère fâcheux, imaginez une cave remplie de bouteilles anonymes. Mais il vaut toujours mieux trop d'humidité que pas assez.

La lumière, en revanche, est néfaste au vin. Elle détériore tant la couleur que les arômes. Il faut toujours conserver ses vins dans l'obscurité. Un placard, un dessous d'escalier ou même une couverture peuvent faire l'affaire.

Plus surprenant, notons que les odeurs peuvent s'infiltrer à travers le bouchon. Évitons donc les gousses d'ail posées dessus, l'ambiance Javel ou l'entrepôt à fioul pour chaudière. Même un carton mouillé, s'il entoure une bouteille trop longtemps, pourrait en influencer le bouquet.

Enfin, le vin a besoin de calme. Les coups et les vibrations cassent les molécules et troublent les arômes. On laisse donc tomber l'idée d'entreposer son vin sur une machine à laver.

Les différentes options : de la cave enterrée... à la cheminée

Comment, vous n'habitez pas dans un corps de ferme muni d'un caveau et d'une cave indépendante souterraine à dix mètres de profondeur où il règne une température constante de 11 °C avec 80 % d'humidité ? ! Rassurez-vous, cela ne signifie pas que vous avez raté votre vie et que vous devez cesser de boire du vin. Il va simplement falloir ruser. Même si la taille de nos foyers rétrécit et qu'ils se trouvent souvent en ville, il reste de l'espoir.

À Paris, on trouve souvent des appartements avec une petite cave enterrée où il fait frais et humide. Des conditions royales... si le métro ne passe pas juste en dessous ! Si votre appartement ne possède pas de cave mais qu'il est bien isolé et que le chauffage n'est pas à fond, un placard, un cagibi ou une trappe sous l'escalier peuvent vous dépanner, à condition de coucher les bouteilles dans le noir. Comme nous pour dormir, en fait ! Évitez simplement les placards qui jouxtent la cuisinière, ils chauffent en même temps que le four. Le placard à chaussures, par exemple, est une alternative satisfaisante. En outre, les bouteilles couchées sont parfaites pour caler quelques paires d'escarpins.

Il existe un autre coin astucieux et méconnu : la cheminée. À condition de ne pas faire de feu dedans, c'est un endroit plus frais que le reste de l'appartement et qui reste protégé en hiver. Testé et approuvé par l'auteur de ces lignes ! Il suffit d'une clayette en plastique ou d'un repose-bouteilles en métal et le tour est joué.

Une bonne cave à vin, finalement, c'est à la fois simple et compliqué. Tout dépend des atouts que vous avez dans votre jeu et de votre imagination.

Avec un peu plus de sous

Si vous n'avez pas de cave souterraine, mais que vous avez de la place et un peu d'argent, je vous conseille d'investir dans une cave électrique. Cette espèce de frigo, qui peut contenir entre 12 et 300 bouteilles selon les modèles, remplira formidablement bien son office : température et hygrométrie constantes, protection à la lumière… Mais attention, c'est cher à l'achat (entre 200 € et 2 000 €) et redoutablement gourmand en énergie. On en trouve principalement de trois sortes : les caves de service, qui conservent les vins quelques mois ; les caves de vieillissement, qui sont plus chères mais assurent une température constante de 12 °C ; et le clou, les caves polyvalentes, qui combinent différentes températures selon les compartiments. Cela dit, les vignerons conseillent aux propriétaires de ce type d'armoires de faire varier de 2 °C ou 3 °C la température selon les trimestres, afin de reproduire le cycle naturel des saisons.

Vous avez beaucoup de place, d'argent et d'ambition mais vous n'avez pas de cave ? Faites-en construire une ! Moyennant quelques travaux, il est tout à fait possible d'aménager une pièce spéciale pour vos bouteilles : une bonne isolation, une grille d'aération, pas de fenêtre si possible ou alors calfeutrée, un climatiseur et, en guise d'humidificateur, un seau d'eau. Enfin, une solide porte avec une serrure efficace contre les voleurs et les égarements de fin de soirée. Autre possibilité, faire carrément construire une cave en bois ou en béton. Quelques entreprises se sont spécialisées dans la pose de caves cylindriques avec rangements intégrés après avoir pratiqué une excavation. On accède à la cave par une échelle ou, grand luxe, un escalier en colimaçon placé en son centre. On peut y stocker entre 500 et 5 000 bouteilles, à condition de dépenser un minimum de 5 000 €. Les plus chères dépassent les 60 000 €.

Chapitre 2

Acheter du vin

Selon vos moyens !

Acheter du vin demande un budget. Si vous ne souhaitez pas mettre plus de 5 € dans une bouteille, vous risquez d'être souvent déçu. Comme vous l'avez vu dans la deuxième partie de cet ouvrage, élaborer du bon vin demande soin, temps et travail. Il existe des vins très agréables pour cette somme, mais ce sont rarement des bouteilles qui vous raconteront une belle histoire. Entre 5 € et 15 €, il y a largement de quoi se faire plaisir, passer de bons moments et découvrir le mystère des bons vins. Au-delà de ce prix, vous multipliez vos chances d'avoir une bonne surprise, peut-être de vivre un grand moment œnologique. Mais les risques de déconvenues sont également plus élevés. Tenez-en compte lors de l'achat.

Dans tous les cas et quelle que soit la taille de votre porte-monnaie, veillez à ne jamais le vider dans une bouteille exceptionnelle, que vous n'oseriez pas servir. Gardez en tête qu'un vin est fait pour être bu, et non pas admiré comme un trésor. De plus, la déception serait trop intense si la bouteille venait à se briser ou être bouchonnée. Un vin peut enchanter une soirée. En aucun cas il ne doit pouvoir la gâcher.

L'échange avec le vigneron

Pour avoir l'impression de faire une bonne affaire en achetant du vin, le mieux est de savoir ce que vous achetez. Généralement, on se paye un jean après l'avoir essayé et s'être assuré qu'il nous va bien. Or dans le vin, il est rarement possible d'essayer avant d'allonger la monnaie. Sauf chez le vigneron ! Qu'il s'agisse d'une personne qui gère l'ensemble de son exploitation ou d'une grosse maison avec une trentaine d'employés, il y a presque toujours un caveau de dégustation, une table et quelques verres pour goûter le vin sur place.

La première règle : prévenir de sa venue. Les maisons de négoce et les caveaux de coopérative sont ouverts une bonne partie de la journée sans rendez-vous mais pour les autres, il est fondamental de s'assurer que le vigneron veut et peut vous recevoir. Sinon, il y a de fortes chances qu'il soit dans les vignes et qu'il n'ait pas de temps à vous accorder : ce n'est pas toujours un commerçant délicat ! La période des vendanges, par exemple, est peu propice aux visites, tout le monde est débordé. Parfois, vous pourrez rencontrer un autre membre de la famille, l'échange sera un peu différent mais pas forcément moins intéressant, tout dépend sur qui vous tombez.

Acheter du vin directement sur son lieu de production présente des avantages certains. Le vin y est moins cher qu'ailleurs : pas d'intermédiaire entre vous et le producteur donc pas de marges financières à ajouter au prix de départ. Évidemment, si vous avez parcouru 800 km pour vous rendre sur place, cet argument n'est pas vraiment valable. En revanche, si l'exploitation viticole se trouve sur la route des vacances (ayez alors un peu de bon sens : crachez lors de la dégustation, vous boirez à l'arrivée) ou à proximité de votre destination, c'est économiquement intéressant. À ce propos, ne négligez pas les bienfaits d'une semaine de vacances dans une région vinicole : les paysages sont beaux, les lieux chargés d'histoire, les promenades paisibles. Rien de tel que d'alterner détente et visites de cave pour revenir au travail reposé et le coffre plein de souvenirs.

Acheter du vin sur place donne l'occasion de tester toute la gamme du vigneron. Un domaine ne produit jamais un seul cru. Il propose au moins un « petit » et un « grand » vin. Et le plus fréquemment, il a plusieurs crus à son nom, qui varient selon le terroir, l'appellation, l'assemblage des cépages, l'élevage en cuve ou en barrique. C'est ce qu'on appelle faire une horizontale, c'est-à-dire avoir la possibilité de goûter plusieurs crus d'un même millésime et d'un même vigneron. Un excellent moyen de saisir les infinies variations qui existent au sein d'un seul domaine. Ainsi, les Bordelais proposent souvent leur vin phare et leur second vin, issu de moins bons raisins, de vignes plus jeunes ou à l'espérance de vie plus courte. Les Bourguignons élaborent des vins identifiés selon la parcelle. Ainsi, un vigneron de Chassagne-Montrachet vous proposerait, rien qu'en blanc : un bourgogne simple, un saint-aubin, un chassagne-montrachet-les-baudines, un chassagne-montrachet-les-embrazées, un puligny-montrachet et, si vous êtes très très sage, un montrachet. Un Alsacien ou un vigneron de la Loire pourront vous proposer le même type de dégustation, avec en plus la possibilité de goûter des vins moelleux ou liquoreux : montlouis sec, demi-sec, doux… Quant aux Rhodaniens ou aux Languedociens, ils pourront vous proposer différents vins, issus de vieilles vignes, avec davantage de syrah ou un élevage plus long.

La bonne nouvelle, c'est que vous n'êtes pas obligé d'aimer le vin le plus cher de la gamme. Au contraire, vous avez tout à fait le droit de préférer le plus simple. D'ailleurs, un bon vigneron doit soigner son petit vin avec la même attention que ses grands crus – c'est un précieux indicateur. Rien ne vous empêche de repartir avec une caisse d'entrée de gamme et de revenir l'année suivante, ravi de votre butin, pour vous laisser tenter par un cru un peu plus complexe. C'est aussi de cette façon que l'on progresse dans le vin : en prenant le temps de découvrir.

Autre avantage de l'achat à la propriété : l'occasion rêvée d'apprendre l'histoire du vin, son mode de production, visiter le chai et parfois même le vignoble. L'imagerie populaire donne au vigneron un caractère peu causant. Mais souvent ce n'est pas vrai. Nombre d'entre eux sont bavards comme des pies, ravis d'avoir face à eux un amateur intéressé par leur vin, heureux de pouvoir expliquer leur travail, les heures passées dehors ou au fond d'une cave. Eux seuls peuvent vous raconter l'âge moyen de leurs vignes, la composition et l'orientation du sol, la pluie qui a manqué ou qui fut trop présente, le temps de macération. Et donc, vous permettre de comprendre pourquoi ce cru est plus gourmand, pourquoi cet autre est plus élégant. Si l'expérience vous a plu et que vous revenez voir ce vigneron plusieurs années de suite, vous cernerez alors davantage l'effet du millésime et vous pourrez voir le domaine évoluer. Le vigneron se convertira peut-être au bio, décidera de planter davantage de cabernet franc, abandonnera l'utilisation de fûts neufs, élaborera un nouveau type de cuvée…

Prenons garde toutefois à ne pas tomber dans certains abus : rester deux heures à discuter avec un vigneron pour finalement ne lui acheter qu'une demi-bouteille, ce n'est pas très correct. Il pourrait avoir le sentiment que vous abusez de son temps et de son hospitalité. Et il n'aurait pas tort. Si vous voyagez léger et que vous ne pouvez pas vous encombrer de plusieurs bouteilles, dites-le tout de suite. Le vigneron décidera peut-être de vous sortir le grand jeu, mais il le fera en connaissance de cause. Et si vous pénétrez dans un prestigieux château sans avoir les moyens d'acheter quelque chose, dites-le aussi, quitte à proposer de payer les verres goûtés. Face aux comportements de nombreux indélicats qui se rinçaient à l'œil sans jamais ouvrir le porte-monnaie, des grands châteaux bordelais font dorénavant payer la dégustation si elle n'est pas suivie d'un achat.

Le conseil du caviste

Connaître un caviste de confiance est primordial pour un amateur de vin. Le caviste est souvent la source de découvertes marquantes. Il encourage à acheter des vins que vous n'auriez jamais pensé goûter, peut vous guider d'une bouteille à une autre, vous accompagner ou vous surprendre. Vous entendrez souvent les œnophiles vous dire « je connais un excellent caviste, il est passionné et il est tellement bavard ! ». C'est très bon signe.

Comme les vignerons, les cavistes aiment leurs bouteilles et apprécient de pouvoir en parler. Ceux qui travaillent à leur compte ont sélectionné les vins eux-mêmes, ils sont allés les chercher chez les vignerons et les ont dénichés pour proposer des produits plus originaux, plus singuliers, plus remarquables, plus aromatiques, plus… bref, meilleurs que ceux des autres cavistes. Grâce à eux, notamment, les consommateurs ont découvert des cépages locaux tombés en désuétude, des appellations méconnues, de ravissants vins de pays. Un bon caviste doit pouvoir vous proposer de grands classiques mais aussi des vins qui sortent des sentiers battus.

Les cavistes qui travaillent pour des enseignes ou des filiales de groupes comme Nicolas et Le Repaire de Bacchus ne sont pas décisionnaires mais peuvent choisir de mettre en avant leurs préférences à partir du catalogue. Même si la sélection est souvent plus classique que chez un caviste indépendant, il y a toujours de quoi satisfaire une envie et le caviste doit pouvoir vous aiguiller.

Quelques conseils pour dénicher le caviste de vos rêves

Donnez une fourchette de prix : s'il se dirige immédiatement vers le vin le plus cher de votre budget, fuyez. S'il vous propose un vin dans la moyenne haute et un autre dans la moyenne basse, revenez.

Demandez des infos sur une bouteille : s'il vous lit l'étiquette (que vous avez déjà lue, parce que… vous savez lire), fuyez. S'il peut vous citer le nom du producteur (et pas seulement le nom du domaine) et vous donner quelques détails sur son exploitation, revenez. S'il vous raconte toute l'histoire du type et de son vin, demandez-lui s'il connaît aussi bien les autres bouteilles du magasin, et proposez-lui de vous sortir son coup de cœur : il est digne de confiance.

Demandez un « bon beaujolais » : s'il vous propose un beaujolais nouveau, fuyez. S'il vous demande « en blanc ou en rouge ? », c'est bon signe. S'il vous montre un beaujolais de vigneron, âgé d'un an ou davantage et d'une appellation spécifique, morgon ou régnié, par exemple, revenez. Si, pour le blanc, il vous propose de passer la frontière nord et d'explorer le sud du Mâconnais avec, par exemple, un saint-véran, revenez aussi.

Demandez un muscadet (ou un riesling si vous êtes breton). S'il vous sort l'unique bouteille à 4 €, « parce que hein, un muscadet, ce n'est pas un grand vin », fuyez. S'il vous propose un muscadet vieilli sur lies « parce que c'est plus frais et plus complexe », revenez. Mieux, s'il vous propose une sous-appellation régionale comme la très sélective côtes-de-grandlieu ou un cru communal, vous êtes entre de bonnes mains.

Que vaut la grande surface ?

On trouve à boire et à manger dans les supermarchés. Autrement dit, il y a de tout. Beaucoup de choix à tous les prix, sur le chemin des courses, ce sont les principaux avantages. De plus, comme les grandes surfaces achètent de grosses quantités aux vignerons, elles sont parfois les revendeurs exclusifs et surtout, elles négocient des prix d'achat très serrés pour revendre moins cher que les concurrents, si concurrents il y a.

Les grandes surfaces doivent s'orienter vers de gros producteurs, qui pourront fournir plusieurs magasins au cours de l'année. Impensable, donc, de trouver les vins d'un vigneron pointu qui ne produit que quelques milliers de bouteilles. Toutefois, il est possible de dénicher des bouteilles issues d'excellentes maisons. Et parfois, problème d'étiquetage, méconnaissance du produit ou négligence du chef de rayon, il arrive que des vins soient proposés à des prix formidablement intéressants. Ainsi Mickaël, grand amoureux du vin, se souvient avec émotion avoir découvert dans le supermarché d'une petite ville un mouton-rothschild à 100 €, alors qu'il valait plus du triple ailleurs. Cela implique néanmoins de connaître la cote du vin convoité.

Dans une grande surface, vous trouverez aisément les vins de grandes marques : les maisons de champagne, les coopératives et les maisons de négoce. Ce sont des choix sûrs qui sont gage de constance (à défaut d'être tous bons). Vous tomberez aussi sur de nombreuses bouteilles de marque distributeur : comme ce n'est pas chic d'acheter un vin Casino ou Auchan, on achète un vin Club des sommeliers pour l'un, un vin Pierre Chanau (notez la subtilité du verlan) pour l'autre. Il existe également les bouteilles signées Une cave en ville (Monoprix), Chantet Blanet (Leclerc), L'âme du terroir (Cora) et Reflets de France (Carrefour). Issus d'assemblage de raisins de plusieurs régions, ces vins ne sont pas très intéressants, œnologiquement parlant, mais ils sont bien faits et ne présentent pas de défauts. Pour une fête à gobelets, pourquoi pas !

Le gros désavantage de la grande surface est que le consommateur de vin est livré à lui-même. Il arrive qu'exceptionnellement, un sommelier pointe son nez lors des foires aux vins, mais on le sent effrayé d'être là. Les supermarchés font pourtant beaucoup d'efforts dans la mise en place de leur rayonnage de vins : on regroupe par région, par couleur, on met en avant des sélections, on accroche une carte de France, mais avouons-le, c'est rarement réussi et piètrement didactique.

Pour s'en sortir dans la grande surface, mieux vaut connaître ses classiques, ou disposer d'une application d'un des nombreux guides œnologiques sur son smartphone pour identifier les vins. Certaines bouteilles, créées par des vignerons modernes, s'habillent d'un code QR, ce code-barres numérique que l'on scanne avec son téléphone pour accéder au site web et à la fiche produit. Saluons l'effort d'information. Il existe un dernier point de repère, largement utilisé par les amateurs : les collerettes de recommandation de guides. Vous savez, ce petit morceau de carton sur la collerette qui spécifie : vin sélectionné (ou approuvé, ou recommandé) par le *Guide Hachette*, par le guide *Gault et Millau*, par le guide *Bettane et Desseauve*, par le guide de la *Revue du vin de France*. Cette indication ne signifie pas que le vin est formidable, mais enfin il garantit une qualité acceptable, vous pouvez vous y fier.

En revanche, soyez plus circonspect à l'égard des médailles qui parent de plus en plus de bouteilles. Tous les concours de dégustation ne se valent pas. Une médaille de bronze obtenue au concours de bolée de Trifouillis-les-Oies ne garantit en rien un bon vin. C'est la renommée du salon et de son concours qui donne de la valeur à une médaille. N'oubliez pas que ces concours sont payants pour les participants, le vigneron verse de l'argent afin d'y faire participer ses bouteilles, dans l'espoir de récolter un argument marketing de poids pour se faire connaître des consommateurs. Les producteurs qui ont déjà une clientèle fidèle ne s'embarrassent généralement pas de ces concours. Pour les plus connus, Salon des vignerons indépendants, Salon de l'agriculture, Concours général agricole de Paris, Concours mondial de Bruxelles, vous pouvez y aller sans risque. Le nombre de bouteilles présentées dépasse le millier et les vins primés sortent vraiment du lot aux yeux des dégustateurs. Cependant, gardez bien en tête que le vin primé est tel qu'il se présente un jour J face à un jury X. Cela n'en fait, en aucun cas, le meilleur de sa catégorie pour toute sa vie, mais simplement le plus apprécié parmi ceux goûtés, à un moment précis, par des personnes précises.

Le foisonnement du Web

Il faudrait tout un guide pour détailler les sites web proposant du vin à la vente. Au fil des ans, l'offre s'étoffe, le marché mûrit. Les ventes de vin en ligne affichent une hausse de 33 % par an en moyenne depuis 2007. Le e-commerce vinicole affiche un chiffre d'affaires de 410 millions d'euros en 2011. Pourtant, il reste minuscule par rapport à la vente en circuit traditionnel. La grande distribution pulvérise les bouteilles vendues par l'intermédiaire des pixels avec un chiffre d'affaires dix fois supérieur. De plus, la vente en ligne ne représente qu'un tiers des ventes à distance, dominées par le courrier et le coup de fil à son vigneron préféré.

Résultats, les sites de commerces de vin ouvrent et ferment vitesse grand V : sur 325 e-commerces de vins en France, 7 % disparaissent chaque année pour être immédiatement remplacés. Pour ceux qui survivent, être rentable voire, Graal suprême, vivre de ces ventes, relève du même exploit que nettoyer les écuries d'Augias : mieux vaut avoir de gros moyens à sa disposition ou beaucoup de patience.

Pour ces cavistes qui passent par le numérique, le principal défi est de rassurer le client. Qui se sent souvent dépourvu face à des sites qui pèchent par un conseil insuffisant, manque de propositions personnalisées et de clarté des informations, notamment sur les conditions de stockage, pourtant primordiales. Autre souci, le prix, le délai et la qualité de la livraison. L'ensemble est trop cher, trop lent, trop fragile. Preuve de la méfiance des clients, l'un des premiers sites d'achat de bouteilles en volume est le généraliste Cdiscount, plus connu pour ses prix cassés en matière de DVD ou d'électroménager. Il faut dire que celui-ci est réputé fiable pour l'achat et l'acheminement de ses produits, alors que des sites plus spécialisés ont provoqué de sévères déconvenues.

À l'heure où nous écrivons ces lignes, en 2012, l'inénarrable et pourtant très connu 1855.com n'a ainsi toujours pas honoré toutes ses commandes de primeurs 2005. Faites le calcul, six ans pour recevoir un colis, voilà de quoi vacciner le plus motivé.

Afin d'y voir plus clair, l'école de management de Bordeaux BEM a évalué 28 e-marchands de vin, dont 20 français. Ce baromètre place Vinatis en tête du classement français. Ce site qui propose 2 500 références est suivi par l'enseigne Nicolas et ChateauOnline. Ce dernier a d'ailleurs été racheté, au printemps, par 1855.com, qui possède déjà CavePrivée. Du lourd, du très lourd donc, pour ce trio de tête dont les sélections, consensuelles, plairont au plus grand nombre.

Pour se démarquer, plusieurs techniques. Celle du marketing déjà très (trop ?) éprouvé : le prix barré, la « mégapromo », réelle ou simulée. À ce jeu, les aficionados du meilleur prix ne manqueront pas de comparer les tarifs grâce aux sites WineDecider et Wine-Searcher.

Très en vogue en ce moment, les ventes privées accessibles sur inscription ou parrainage et qui fonctionnent par ventes flash. On y retrouve CavePrivée, 1Jour1Vin ou encore VenteALaPropriété. Dans la même veine, le remarquable IDealWine s'est développé autour de la vente aux enchères.

Reste la cave de niche, spécialisée. Elle ne se présente plus forcément comme la moins chère, mais préfère mettre en avant une sélection précise, serrée, réservée à l'amateur : Millésima et ses grands bordeaux vendus par caisses, le site des caves Legrand et ses étiquettes « ultra-wahou », le parisien Lavinia et sa palette sans égale de vins bio ou étrangers, ou encore le

Bordelais Jean-Merlaut et ses incontournables, fort de trente-trois ans de vente par correspondance.

La chasse aux trésors des foires aux vins

Vous sentez l'âme d'un explorateur, à vous les aventures semées d'embûches pour dégoter le magot ? Vous pouvez vous lancer dans les foires aux vins. Ces dernières existent depuis une trentaine d'années, à l'initiative de la grande distribution française. Ce phénomène que l'on ne retrouve nulle part ailleurs dans le monde se produit deux fois par an, au printemps et à l'automne. Néanmoins, la foire de septembre est beaucoup plus intéressante : les nouveaux crus viennent d'être mis en bouteille et, pour les grandes surfaces, c'est le moment idéal pour vider les linéaires qui s'apprêtent à recevoir la nouvelle récolte.

Une chose est sûre, on peut toujours faire des affaires lors des foires aux vins. La concurrence est si féroce entre les enseignes pendant cette période que les marges sont réduites au minimum. Mais ne vous inquiétez pas pour les géants de la distribution, les foires aux vins représentent plus de la moitié de leur chiffre d'affaires global dans le secteur. Attention, les enseignes ne procèdent pas toutes de la même manière. Carrefour et Auchan proposent un catalogue tandis que Leclerc, leader en matière de vins, n'organise pas d'opération nationale mais délègue à chaque magasin le soin de s'organiser. Système U, de plus en plus présent dans le secteur, met l'accent sur sa foire de printemps et même le hard discount se lance dans la bataille, Lidl et Leader Price proposant plus de cinquante références à tout petits prix.

Néanmoins, comme l'explorateur, il faut se préparer. On ne part pas à l'aventure les yeux fermés sans un minimum d'outils ! La presse (spécialisée ou non) multiplie les numéros spéciaux à l'occasion de ces foires. On y trouve des comparatifs très complets. De quoi pouvoir élaborer des stratégies dignes d'un chef de guerre.

En septembre, les nouveaux millésimes arrivent : il faut comparer les prix, identifier le bon point de vente. Les bonnes affaires se font souvent les premiers jours. Si vous voulez vous battre comme un vrai connaisseur, il faut être invité aux soirées d'ouverture. Ce n'est pas très compliqué, il suffit le plus souvent de se signaler auprès d'un responsable ou de passer un coup de fil pour être convié. Ce n'est pas le moment de se noyer dans les petits fours, les Caddie se remplissent très vite et les rayons se vident tout aussi rapidement à cette heure clé.

Attention toutefois, beaucoup de bouteilles ne sont pas de bonnes affaires mais seulement des invendus accumulés pendant l'hiver. D'où l'importance de bien se renseigner avant de se précipiter. Enfin, ne passez pas à côté des foires aux vins des petits cavistes du coin : la sélection y est toujours plus intéressante et les trésors moins cachés.

Nous voilà presque arrivés au terme de cet ouvrage. Avant de vous proposer une petite liste d'adresses et de références de vin, laissez-moi vous rappeler quelques conseils. Ils sont très simples : goûtez, sentez, buvez, achetez, découvrez, goûtez de nouveau, rencontrez, discutez, goûtez encore. C'est tout. De même que l'amateur de cuisine peaufinera au cours des années ses techniques culinaires pour le plus grand plaisir de ses proches, prenez le temps d'apprendre, comprendre, de bâtir une cave et de régaler vos convives.

Même si vous ne savez pas faire cuire un œuf, vous deviendrez un hôte de choix. N'en profitez jamais pour impressionner votre entourage mais utilisez vos talents pour montrer les chemins du plaisir. Et n'oubliez jamais : un vin est toujours meilleur quand il est bu avec des personnes que vous appréciez. C'est ce qui fait sa plus grande valeur.

Chapitre 3

Quelques suggestions

Pour terminer, voici quelques noms de bonnes bouteilles. Elles ne sont pas nombreuses, on vous laisse le soin d'explorer vous-même le vaste monde du bon jaja pour compléter la liste. Comme il a fallu faire un choix, cette dernière est forcément subjective. Ces vins feront plaisir à coup sûr, mais des centaines d'autres mériteraient d'y figurer. Certaines bouteilles sont très connues, faciles à trouver : chez de judicieux cavistes ou, avec de la chance, en grande surface. D'autres sont plus secrètes, il faudra appeler le vigneron pour connaître ses revendeurs ou passer chez lui. Cela vaut toujours le coup. Sachez que le prix indiqué est un prix moyen de vente à la propriété, il peut varier selon les millésimes et les points de vente.

Pour ouvrir
tout de suite / Entre potes

En blanc

• Le pur : muscadet de Sèvre-et-Maine Amphibolite Nature, domaine Landron

10 €, 02 40 54 83 27

• Le fringant acidulé : reuilly, domaine Desroches

6 €, 02 48 51 71 60

• L'enjoué : muscat d'Alsace, domaine Dirler-Cadé

10 €, 03 89 76 91 00

• L'air de vacances : muscat corse Nectar d'Automne, domaine Casabianca

12 €, 04 95 38 96 00

• Le décomplexé : bourgogne aligoté, domaine Bonnardot

6,60 €, 03 80 62 91 27

En rouge

• Le coquin : touraine, Le Vilain P'tit Rouge, domaine Vincent Ricard

9 €, 02 54 71 00 17

• Le bon copain : corbières, Faut pas rouler les mécaniques, cave de Castelmaure

7,50 €, 04 68 45 91 83

• À l'aise dans ses baskets : bordeaux supérieur, château Bellevue Peycharneau

6 €, 05 57 41 37 46

• Le joyeux : brouilly Combiaty vieilles vignes, domaine Laurent Martray

9 €, 04 74 03 51 03

• Le franc : saint-chinian Mas au Schiste, domaine Rimbert

11 €, 04 67 89 74 66

• Le charmeur : côtes-de-bourg, château Labadie

8,90 €, 05 57 64 23 84

En rosé

• L'exubérant : bordeaux rosé, château La Tour du By

5,70 €, 05 56 41 50 03

• Le luxuriant : tavel La Dame Rousse, domaine de La Mordorée

9 €, 04 66 50 47 39

En sucré

• Le câlin : jurançon, domaine Barthélémy

8 €, 05 59 21 42 67

Pour faire la fête

Des bulles

• Le malicieux : vouvray pétillant non dosé, domaine François Chidaine

9,30 €, 02 47 45 18 14

• Le régressif : limoux Première Bulle, domaine Sieur d'Arques

10 €, 04 68 74 73 70

• La valeur sûre : champagne Cuvée traditionnelle brut, A. Margaine

13 €, 03 26 97 92 13

En blanc

• Le généreux : beaujolais blanc, domaine de Talancé

6 €, 06 76 63 99 50

• L'inventif : vins de pays d'Oc Arrogant Frog, domaines Paul Mas

5,50 €, 04 67 90 16 10

En rouge

• Le modeste : vin de table (Sud-Ouest) Le Rouge qui tache, château Lassolle

9 €, 05 53 94 55 73

• Le rigolo : touraine On s'en bat les couilles (vin de bagnole), domaine Le Pré noir

8 €, 06 62 06 47 61

• Comme l'indique son nom : côtes-du-marmandais Le vin est une fête, domaine Elian Da Ros

7,50 €, 05 53 20 75 22

• Le punk : bandol Rêvolution, domaine de la Tour du Bon

13 €, 04 98 03 66 22

• Le costaud : minervois Mais où est donc Ornicar, domaine Jean-Baptiste Sénat

13 €, 04 68 78 26 61

• Le débonnaire : vin de pays de la cité de Carcassonne Trah lah lah, domaine O'Vineyards

15 €, 06 30 18 99 10

• Le chic : bordeaux Bad Boy, domaine Jean-Luc Thunevin

15 €, 05 57 55 09 13

En rosé

• Le délicat : côtes-de-provence Miss Vicky Wine

8 €, justforyou@missvickywine.com

En sucré

• Le confident : montlouis La Vallée (demi-sec), domaine Laurent Chatenay

10,50 €, 02 47 50 65 58

Pour un dîner presque parfait

Des bulles

• L'illusionniste : crémant du Jura cuvée Montboisie, fruitière vinicole d'Arbois/château Béthanie

9,50 €, 03 84 66 11 67

En blanc

• L'oriental : alsace gewurztraminer, grand cru Zinnkoepflé, domaine Schlegel Boeglin

10,50 €, 03 89 47 00 93

• Le printanier : chablis, domaine Servin

9 €, 03 86 18 90 00

• Le revigorant : arbois savagnin, domaine André et Mireille Tissot

7,50 € 03 84 66 08 27

• L'insolite ensoleillé : alsace sylvaner Sono Contento, domaine Albert Seltz

11,80 €, 03 88 08 91 77

• L'opulent : côtes-du-rhône blanc, château des Tours

11,70 €, 04 90 65 41 75

• Le romantique : montlouis-sur-loire, Premier rendez-vous, domaine Lise et Bertrand Jousset

13 €, 02 47 50 70 33

En rouge

• L'épicé : cahors cuvée Renaissance, château de Gaudou

15 €, 05 65 36 52 93

• Le galant : côtes-de-bourg La Grolet, vignobles Bossuet-Hubert

9 €, 05 57 42 11 95

• Le sexy : bordeaux supérieur Vieilles Vignes, château Sainte Marie

7,50 €, 05 56 23 64 30

• L'amical : pessac léognan Le Dada de Rouillac, château de Rouillac

15 €, 05 57 12 84 63

• Le sensible : graves, château Lusseau

10 €, 05 56 67 01 67

• Le polisson : bordeaux, château La Levrette

14,90 €, 06 63 80 04 41

• Le solaire : costières-de-nîmes Terre d'Argence, château Mourgues du Grès

10 €, 04 66 59 46 10

• L'authentique : morgon, domaine Marcel Lapierre

15 €, 04 74 04 23 89

• Le ténébreux séducteur : madiran cuvée Prestige, château Viella

12 €, 05 62 69 75 81

• Le gracieux : saint-romain Sous Roches, domaine Henri et Gilles Buisson

15 €, 03 80 21 27 91

À garder
pour les grandes occasions

Des bulles

• L'immaculé : champagne Zéro Brut nature, domaine Tarlant

24 €, 03 26 58 30 60

• L'amoureux : champagne premier cru La Dame de Cœur, domaine Savart

34 €, 03 26 84 91 60

En blanc

• Pour folâtrer : chablis 1er cru Vaillons, maison Joseph Drouhin

19,30 €, 03 80 24 68 88

• Le sensuel : chassagne-montrachet 1er cru Les Baudines, domaine Vincent et Sophie Morey

26 €, 03 80 20 68 33

• L'ensorceleur : condrieu cuvée Invitare, domaine M. Chapoutier

32 €, 04 75 08 28 65

• Le cristallin : alsace riesling grand cru Sommerberg, domaine Albert Boxler

25 €, 03 89 27 11 32

• Le ciselé : graves blanc, clos Floridène

17 €, 05 56 62 96 51

• Le musical : sancerre Harmonie, domaine Vincent Pinard

19,40 €, 02 48 54 33 89

• Peau d'âne : coteaux-du-languedoc blanc Lune blanche, domaine Le Conte des Floris

20 €, 06 16 33 35 73

En rouge

• L'inaltérable : touraine Vinifera Côt Franc de Pied, Henry Marionnet, domaine de la Charmoise

15 €, 02 54 98 70 73

• Cendrillon : saint-émilion grand cru, château Jean Faure

35 €, 05 57 51 34 86

• Le soyeux : morey-saint-denis En la rue de Vergy, domaine de Bruno Clair

27 €, 03 80 52 28 95

• L'impeccable : gevrey-chambertin, domaine Jean Trapet, Père et Fils

35 €, 03 80 34 30 40

• Alice au pays des merveilles : côte-rôtie Brune et Blonde, domaine E. Guigal

25 €, 04 74 56 10 22

• Le savoureux : bandol rouge, château de Pibarnon

25 €, 04 94 90 12 73

• Le virtuose : coteaux-du-languedoc, mas Jullien

25 €, 04 67 96 60 04

• Le passionnant : côtes-du-ventoux L'Argile, domaine Saint-Jean-du-Barroux

15 €, 04 90 70 84 74

• Le fougueux : côtes-du-rhône-villages Cairanne L'Ebrescade, domaine Richaud

18 €, 04 90 30 85 25

• Le moderne : bordeaux supérieur Grand Vin de Reignac, château de Reignac

16 €, 05 56 20 41 05

• L'émouvant : bordeaux côtes-de-francs, château Le Puy

16 €, 05 57 40 61 82

• Le grand classique : haut-médoc, Sociando-Mallet

30 €, 05 56 73 38 80

• Le romanesque : côtes-du-roussillon-villages De battre mon cœur s'est arrêté, domaine du Clos des Fées

18 €, 04 68 29 40 00

Bibliographie

Merci aux auteurs de ces livres qui m'ont accompagnée et inspirée :

Bien connaître et déguster le vin, sous la direction d'Evelyne Malnic,
Solar, 2004, 468 pages.

L'Atlas mondial du vin, Hugh Johnson et Jancis Robinson, Flammarion, 6e éd., 2008, 400 pages.

Le vin en 80 questions, Pierre Casamayor, Hachette Pratique, 2008, 173 pages.

Oz Clarke nous dit tout sur le vin, Oz Clarke, Gallimard, 2009, 200 pages.

Guide pratique de la dégustation. L'examen sensoriel, du raisin à la vente, Maurice Chassin
Dunod - LaVigne, 2011, 189 pages.

Ainsi qu'à Pierre Guigui du Gault Millau ; le professeur et œnologue Denis Dubardieu ; Michel Bettane et Thierry Desseauve, auteurs du guide éponyme, pour leurs conseils pleins de sagesse.

INDEX

Notes

Notes

Éditions l'Étudiant
Directeur de la rédaction : Emmanuel Davidenkoff
Directrice de collection : Maëlla Ruellan
Responsable d'édition : Juliette Legros
Secrétaire de rédaction : Marie-Odile Mauchamp

Visuel
Conception graphique de la couverture :
Philippe Marchand/OLO
Conception graphique et mise en page : Nord Compo

Diffusion
Responsable partenariats : Karine Welter
Assistante : Hasnaa Doulimi

Fabrication
Catherine Pegon
Pascale Supernant

Relations presse
VP Communication

Commercial
Directrice déléguée : Chrystèle Mercier

© L'Étudiant 2012
23, rue de Châteaudun, 75308 Paris cedex 09
Dépôt légal : octobre 2012
Imprimé en France

Imprimerie EMD : n° d'impression 27299

ISBN 978-2-8176-0186-1
ISSN 1262-327X